du RÊVE
à la RÉALITÉ

Conception de la couverture : Geneviève Larocque
Mise en pages : Geneviève Larocque et Bruno Paradis
Révision : Pierre-Yves Villeneuve
Correction d'épreuves : Cynthia Cloutier Marenger

Photos : Mathieu Pellerin, Christine Deschesnes et Pierre Pellerin
Photo de couverture : Photo Hélico
Photos des pages 105 et 110 : Photo Hélico

Imprimé au Canada

ISBN : 978-2-89642-438-2

Dépôt légal – Bibliothèque et Archives nationales du Québec, 2011
© 2011 Éditions Caractère

Les Éditions Caractère remercient le gouvernement du Québec – Programme de crédit d'impôt pour l'édition
de livres – Gestion SODEC

Les Éditions Caractère reconnaissent l'aide financière du gouvernement du Canada par l'entremise du Fonds
du livre du Canada pour nos activités d'édition.

Visitez le site des Éditions Caractère
editionscaractere.com

BLEU LAVANDE MC

LAVANDE DU QUÉBEC

du RÊVE à la RÉALITÉ

Pierre Pellerin

L'homme derrière Bleu Lavande

CAR ACT ÈRE

Je dédie ce livre à mon amour, Christine ;
sans elle, Bleu Lavande ne serait pas,
et à Mathieu, Jacob, et Valérie,
mes enfants dont je suis très fier.

Merci de partager cette passion avec moi

« *Celui qui se perd dans sa passion a moins perdu*
que celui qui a perdu sa passion. »

— Saint-Augustin

Table des matières

Préface

La vie de Pierre Pellerin ressemble par moments à ces histoires qui nous emportent et nous chavirent au gré des flots tumultueux d'une vie menée à fond de train. C'est celle d'un homme qui n'a jamais baissé les bras devant l'adversité et qui a su insuffler aux gens qui l'entouraient la passion nécessaire à la réalisation d'un rêve. Pourtant, cette persévérance s'est butée à de nombreux écueils, et le récit qu'il nous propose ici, s'il met en lumière sa grande force de caractère, n'en fait pas moins l'économie de sa fragilité. En se mettant ainsi à nu, Pierre Pellerin prend le pari de se montrer tel qu'il est : un homme de cœur.

Le voyage que nous vous proposons dans ce livre n'a rien à voir avec une biographie traditionnelle. S'il retrace en partie la chronologie des événements qui ont mené Pierre Pellerin et Christine Deschesnes à fonder Bleu Lavande, il suit surtout le parcours de cet homme que rien ne prédestinait au succès qu'il a connu dans ses différentes entreprises. Élève médiocre, comme le sont beaucoup de grands artistes, Pierre Pellerin est allé au-delà des résultats académiques pour créer de toutes pièces sa raison d'être. Dans le domaine de l'électronique, où il a œuvré longtemps, son ingéniosité l'a propulsé hors des sentiers battus. Inventeur d'un instrument dont les principes sont toujours utilisés aujourd'hui, il a été happé en plein vol par un signal d'alarme auquel il ne pouvait rester indifférent : son corps refusait de suivre la cadence.

Comme Icare perdant ses ailes en volant vers le soleil, Pierre Pellerin est retombé sur cette colline, Applegrove, où il a décidé de refaire sa vie. Peu à peu, le brouillard s'est dissipé et ce qu'il découvrait était de double nature : un panorama somptueux s'étendait autour de lui, et un nouveau paysage était en train de prendre forme à l'intérieur. De ce désir de refaire sa vie, il a tiré un rêve qu'il était convaincu de pouvoir réaliser. Un rêve bien particulier, marqué par une fée qui avait autrefois versé des torrents de larmes devant les sols arides de la Provence. Des larmes d'un bleu très distinct, presque mauve.

Car ce rêve commença par une couleur, celle de la lavande que Pierre Pellerin avait aperçue au détour d'un voyage. Dans une ancienne vie qui ne lui laissait jamais le temps de profiter d'un monde qu'il parcourait alors sans relâche, cette couleur s'était imprimée dans son esprit sans le savoir. La vie est ainsi faite, « de hasard et de nécessité », comme le remarquait avec justesse le philosophe grec Démocrite. Nous ne savons jamais ce qu'elle nous réserve, mais il est essentiel d'être attentif à la nécessité intérieure qui nous pousse parfois à persévérer dans une direction que tout le monde voit comme une impasse. Dans la forêt dense qui se dresse devant nous, nous devons creuser des chemins qui nous permettront de la parcourir comme si elle nous appartenait.

Pierre Pellerin, lui, n'avait pas besoin de faire semblant. Cette terre nichée sur la colline d'Applegrove lui appartenait, mais la forêt dense dans laquelle il fallait qu'il trace son chemin était cette vie nouvelle qui s'ouvrait devant lui, dans toute son imprévisibilité. Grâce à l'amitié, grâce à l'amour, il a donné vie à la couleur de son rêve, qui s'est répandue comme les larmes de la fée Lavandula sur ses champs endormis. Peut-être qu'un peu de la magie de cette histoire tient dans l'étincelle de cette rencontre entre Pierre et sa fée Christine, dans cette volonté commune d'aller au-delà de l'ordinaire pour réaliser quelque chose de tout à fait original.

Qui aurait cru, il y a dix ans, que des centaines de milliers de personnes se déplaceraient chaque année derrière la baie de Fitch, au cœur des Cantons-de-l'Est, pour aller vagabonder dans de vastes champs de lavande en fleurs ? Personne, à part Pierre Pellerin. Ce livre raconte son histoire, et pourquoi ce rêve qui l'a tenu en vie est devenu réalité. Il nous apprend aussi que cette nouvelle réalité ne peut rester isolée, qu'elle rayonne autour de son point d'ancrage comme un phare pour permettre aux autres voyageurs de se guider. Et une fois que l'on peut se guider à travers l'inconnu, on prend goût à s'aventurer hors des pistes et à tracer notre propre voie. L'histoire de Pierre Pellerin prouve qu'il n'est jamais trop tard pour changer de direction et donner un nouveau sens à sa vie.

Comme l'écrit si bien le poète québécois Gaston Miron à sa fille Emmanuelle :

J'ai fait de plus loin que moi un voyage abracadabrant
il y a longtemps que je ne m'étais pas revu
me voici en moi comme un homme dans une maison
qui s'est faite en son absence
je te salue, silence

je ne suis pas revenu pour revenir
je suis arrivé à ce qui commence

C'est dans cet état d'esprit qu'il convient d'aborder le chemin que vous vous apprêtez à faire dans la vie de Pierre Pellerin.

Bonne route !

Maxime Catellier

Introduction

« *Au milieu du chemin de notre vie,
je me retrouvai dans une forêt obscure,
car la voie droite était perdue.* »

— Dante

C'était un dimanche de fin d'automne. L'aube venait de se lever. Je ressentais le besoin de m'évader, de retourner la terre de ma vie alors en jachère. Au mitan de mon existence, après le succès de mes diverses entreprises et les ennuis de santé qui m'avaient obligé à tout arrêter, je me retrouvais au pays de mon enfance, les Cantons-de-l'Est. Ce matin-là, dans ma résidence secondaire d'Ayer's Cliff, j'ai pris le volant de ma voiture et je suis allé parcourir les côtes remplies de souvenirs de ce coin de pays que je connaissais si bien pour l'avoir sillonné maintes fois à vélo.

Je pris le chemin de Fitch Bay. J'avais en tête de poursuivre ma promenade du côté de Beebe et Stanstead. Pour la plupart des gens de Magog, cette région reste méconnue. On connaît bien Georgeville, sa célèbre auberge et la maison McGowan, mais on semble rarement s'aventurer au-delà. Arrivé à Fitch Bay, je continuai ma route jusqu'au pont couvert Narrow, qu'on a appelé ainsi en raison de l'étroitesse de la baie à cet endroit. C'est là, au faîte de la colline d'Applegrove, que j'aperçus la pancarte « À vendre ». Une terre, sans maison ni bâtiment, s'étendait

devant moi sous la forme d'une vaste prairie. Quelques instants auparavant, au moment d'entamer le chemin qui gravissait cette colline, j'étais encore habité par les souvenirs de mes balades à vélo et la grande beauté des lieux m'émerveillait. En mon for intérieur, j'en étais à me dire que ce serait un endroit idéal pour commencer une nouvelle vie.

En téléphonant au numéro qui était indiqué sur la pancarte, j'ai demandé l'autorisation de visiter les lieux. J'entrai donc au volant de ma voiture et parcourus la prairie sur plus d'un kilomètre. Il n'y avait pas de neige, mais le sol était encore gelé et les croûtes glacées craquaient sous mes pneus. J'aurais très bien pu tomber en panne au beau milieu de ce nulle part en friche, mais j'avais alors retrouvé l'insouciance qui accompagne les premières découvertes. Je suis sorti de la voiture et, sans être habillé plus chaudement qu'il ne le faut, j'ai parcouru cette terre pendant deux ou trois heures. Il y avait là une érablière, avec de beaux arbres centenaires. C'était magnifique.

De retour à la maison, je me suis empressé de rappeler l'agente à qui j'avais demandé l'autorisation de visiter la terre et je fixai un rendez-vous l'après-midi même pour connaître les détails. C'était une terre de 240 acres, répartie en 80 acres de prairie et 160 acres de bois. L'agente me demanda si j'y étais intéressé.

— Certainement que ça m'intéresse !

— Mais qu'allez-vous faire de cette terre, monsieur Pellerin ?

— Je ne sais pas, mais c'est ici que je vais refaire ma vie, et ma santé.

J'ai déposé une offre le jour même et je suis retourné sur la terre en m'habillant adéquatement. J'y suis resté toute la journée en compagnie de mon ami Serge, jusqu'à la brunante. À mon grand plaisir, j'y ai découvert des lacs où les

castors avaient élu domicile. J'allais et venais dans cet espace où je respirais enfin. Je ne savais pas encore ce que j'allais faire ici, mais une chose était certaine : cette terre allait pouvoir accueillir mon rêve. C'est ici qu'il allait devenir réalité.

Le surlendemain, le propriétaire m'a fait une contre-offre. J'ai répliqué immédiatement, mais, entre-temps, un malheureux accident était survenu. Le propriétaire était éleveur de chevaux et avait reçu un coup de sabot en plein visage. L'agente m'informa qu'il était à l'hôpital, mais qu'il était prêt à recevoir ma deuxième offre. Je la lui fis donc parvenir sur son lit d'hôpital, et il l'accepta. Il faut dire que les circonstances étaient des plus difficiles pour cet homme en instance de divorce. Il désirait se débarrasser de ses terres au plus vite et quitter le Québec pour les États-Unis. Il était tout aussi pressé de quitter son ancienne vie que moi de commencer ma nouvelle. Dès le lendemain, il avait plié bagage et je ne devais plus jamais le revoir.

Noël approchait et, déjà, je m'étais fait le plus beau cadeau du monde. Une terre où semer les rêves qui allaient devenir les réalités d'une nouvelle vie. Une vie où j'allais d'abord penser à moi et à ma santé. J'ai alors passé de longues heures sur ma terre, méditant sur ce que je pourrais bien en faire. En tournant sur moi-même, je pouvais observer le panorama somptueux qui allait de Owl's Head jusqu'aux campagnes remontant vers Coaticook et aux Appalaches traversant la frontière américaine. Mon œil embrassait l'espace et je devais y trouver un sens. Quels fruits porterait cette vaste prairie qui, en plein hiver, semblait fixée à jamais dans le temps ? Ce lieu m'aiderait-il à trouver la formule pour résoudre l'équation entre la passion et la persévérance qui m'ont toujours animé dans mes projets ? Pourrait-il m'aider à me refaire une santé, celle-ci n'en pouvant plus de supporter le stress auquel je m'étais soumis dans mon ancienne vie ?

Il ne fallait pas trop m'en faire. Mon passé m'avait appris à ne pas me fier aux apparences. Sans cette passion qui avait fait en sorte que je m'implique corps et âme dans mes entreprises, jamais mon diplôme collégial en électronique ne m'aurait amené aussi loin. Au péril de ma santé, d'ailleurs. Le spectacle apaisant de cette terre dans le froid discret de décembre n'annonçait en rien la suite des choses.

Et si on commençait par le début ?

Chapitre 1

Mon ancienne vie

« *J'ai glissé cette lettre dans mon Imitation,*
un vieux livre qui appartenait à maman,
et qui sent encore la lavande, la lavande
qu'elle mettait en sachet dans son linge,
à l'ancienne mode. Elle ne l'a pas lu souvent,
car les caractères sont petits et les pages
d'un papier si fin que ses pauvres doigts,
gercés par les lessives, n'arrivaient pas »
à les tourner.

— Georges Bernanos

ès mon plus jeune âge, rien ne me prédisposait au succès. J'étais nul à l'école. C'est tout juste si j'avais la note de passage. Et l'éducation des enfants, en ce temps-là, n'était pas encore ce qu'elle est aujourd'hui. Quand j'arrivais de l'école avec mon bulletin, je savais très bien la punition qui m'attendait. J'essayais de ne pas trop m'en faire. Je me disais que ce n'était pas grave, que je n'en mourrais pas. Je pensais surtout au lendemain, aux amis que je retrouverais et avec lesquels je pourrais jouer. Quelques claques sur les fesses, ce n'était tout de même pas la fin du monde ! Sur mes bulletins, mes professeurs écrivaient que j'étais toujours dans la lune. Jusqu'au jour où, en classe de sixième année, mon professeur s'aperçut que je ne voyais rien. Une visite chez l'optométriste confirma une myopie assez sévère. Il était temps ! Mon père étant médecin et ma mère infirmière, j'imagine qu'ils s'en voulaient de ne pas avoir découvert cela par eux-mêmes. À bien y repenser, je ne crois pas que j'étais toujours dans la lune. Je dirais plutôt que je réfléchissais.

Le jeune Pierre Pellerin

Laissez-moi vous dire que le jour où j'ai mis des lunettes pour la première fois, un nouveau monde s'est ouvert à moi. Étant myope comme une taupe, je découvrais maintenant le monde. Je ne pouvais pas recommencer mon primaire à zéro, mais au moins le secondaire débuterait du bon pied ! Comme j'avais encore de grandes difficultés d'apprentissage, je bûchais comme un forcené pour réussir mes cours. Arrivé à la fin du secondaire, je me destinais à une carrière en éducation physique. Je voulais suivre les traces de mon grand frère Michel, qui faisait partie de l'équipe de pentathlon moderne du Canada. Michel fut mon héros de jeunesse. Mais sur un coup de tête, deux semaines avant le début du cégep, je changeai d'idée et me dirigeai plutôt vers l'électronique. Or, je n'avais pas fait mes cours de chimie et de physique, obligatoires pour quiconque s'inscrit dans ce domaine. Ce fut donc le prétexte pour reprendre mon secondaire V une deuxième fois. Un prétexte, car ce que je voulais surtout, c'était faire encore partie de l'équipe de handball de l'école, à qui la coupe du championnat provincial avait échappé de peu ! Je repris le chemin des écoliers et, cette année-là, en plus de réussir mes cours de sciences, notre équipe remporta le championnat.

J'entrai donc au cégep en électronique. Malgré le fait que j'avais réussi à passer à travers mon secondaire, j'avais toujours d'énormes difficultés et je redoublais sans cesse d'efforts pour réussir mes cours. À cette époque, j'ai rencontré ma première blonde qui s'aperçut qu'elle était enceinte trois semaines après la fin de notre brève relation, j'ai pris mes responsabilités et nous avons tenté de vivre en couple pendant quelques années, mais je dus assumer moi-même cette situation, mon père m'ayant coupé les vivres en apprenant la nouvelle. J'ai donc trouvé un travail de nuit à l'Hôtel Chéribourg et j'ai continué d'aller à mes cours dans la journée. J'ai suivi ce rythme infernal durant un an et demi, au péril de ma santé. Des

 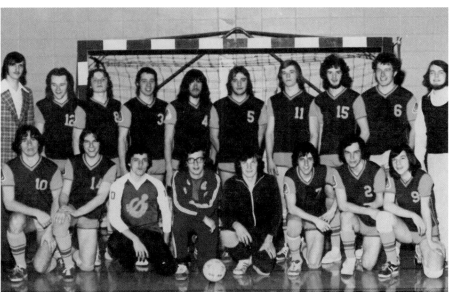

problèmes cardiaques, au niveau du myocarde, m'obligèrent à ralentir la cadence. À l'été 1976, à l'âge de 20 ans, je devins le jeune papa d'un garçon, David.

Je terminai néanmoins mes études en électronique et me lançai sur le marché du travail. J'ai alors occupé des postes dans de nombreuses compagnies. Je me suis aperçu que je changeais souvent d'emploi. Je ne pouvais rester en place et m'installer dans une routine. C'est ce qui mena, en 1984, à la création de ma première entreprise, Les Contrôles CPM. Malheureusement, l'expertise que j'avais acquise résidait surtout dans le domaine du textile, qui était en plein déclin au début des années 80. Je me suis donc adapté au marché. J'ai développé des principes d'automatisation et de robotisation pour toute une panoplie d'entreprises, des premières usines d'épuration des eaux aux pains Weston et Gadoua, en passant par la signalétique des ponts Champlain et Jacques-Cartier. Dans le milieu, on m'appelait le « *one stop solution guy* ».

À un certain moment, je menais cinq entreprises de front. L'une d'elles était surtout orientée vers la réparation de cartes et de contrôles électroniques. Au début des années 90, comme je ne voulais pas passer ma vie à faire ce genre de réparations, je me suis demandé pourquoi ces pièces en venaient à se briser. J'ai découvert que c'était en raison de la pollution des lignes électriques et qu'il n'y avait pas d'appareil permettant de mesurer cette pollution dans son ensemble.

Persuadé que je tenais là quelque chose de tout à fait nouveau, j'ai abandonné ou vendu mes autres entreprises pour me concentrer seulement sur celle-là. Je voulais mettre tous mes œufs dans le même panier. Avec l'aide de mes ingénieurs, j'ai construit mon premier prototype. Je me suis donc lancé à la recherche de financement en capital de risque afin de m'aider à soutenir le développement de mon invention. Cela m'a coûté, personnellement, pas moins d'un demi-million de dollars. À un certain moment, mon comptable m'a demandé de quelle manière je m'y prendrais pour vendre la machine en question.

— Ça va se vendre tout seul, c'est la meilleure au monde !

Telle fut ma réponse. Je ne me doutais pas qu'il faudrait mettre autant d'énergie dans sa mise en marché afin de la faire connaître. J'ai dû entrer en deuxième ronde de capital d'investissement pour assurer sa commercialisation et, au final, nous avons englouti 1,5 million de dollars pour un instrument qui n'avait coûté qu'un demi-million à développer.

En mai 1997, j'ai été invité à présenter mon instrument dans un congrès à Los Angeles. L'engouement pour ce type d'appareil battait son plein, et une quinzaine de compagnies firent la présentation de leur invention. Quand vint mon tour, je leur dis d'abord que tous les instruments qu'ils venaient de voir ne représentaient que 10 % des fonctions de celui que j'allais leur présenter. Pour le leur prouver, je fis le tour de la table et en fit la démonstration. Une fois ce manège terminé, je leur annonçai que nous allions passer aux choses sérieuses. Je leur ai présenté ce qui faisait la spécificité de mon invention.

À la suite de cette retentissante réussite, nous avons fait la couverture de la plus prestigieuse revue américaine du genre, la *Power Quality Assurance Magazine*. Et les ventes ont explosé. Nous avons ouvert 70 bureaux de vente à travers le monde.

La mise en marché pratiquée par notre compagnie ne s'apparentait en rien à ce qui se faisait dans le reste de l'industrie. Comme ce sera le cas chez Bleu Lavande, nous avons tout de suite compris l'importance de l'image. Au lieu de maintenir nos traditionnelles publicités de magazines spécialisés, où l'on voyait l'instrument et ses spécifications, j'ai donné le mandat à mon designer, Pierre Morin, de préparer des publicités attrayantes. Notre première offensive publicitaire hors

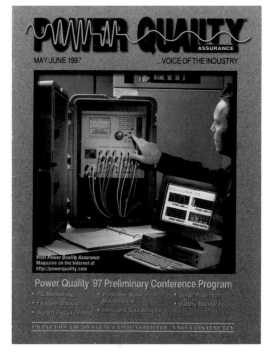

La couverture du magazine américain *Power Quality Assurance Magazine*, présentant l'instrument inventé par Pierre Pellerin et sa compagnie.

des sentiers battus s'était produite avant la conférence de Los Angeles, avec deux publicités humoristiques. Sur la première, on voyait une tasse de cappuccino sur fond vert lime sous laquelle il était écrit : « *Our next model will make cappuccino too* ». Et sur la seconde, on voyait un journal et des pantoufles au pied d'un fauteuil, et la pub disait : « It still won't fetch your newspaper and slippers... but we're working on it. ». Nous détonions comme jamais, et nos compétiteurs étaient furieux ! Des 50 à 60 demandes d'information que nous recevions par mois, nous sommes passés à plus de 300. Nous avons dû engager une agence pour faire le suivi de ces demandes, tellement l'engouement était palpable !

Cet automne-là, après la une du magazine américain et celle d'un magazine canadien qui suivit de près, les choses filèrent à la vitesse de l'éclair. En novembre, on m'a invité sur la mission Québec-Chine, où je faisais partie d'un comité en compagnie de Lucien Bouchard, André Caillé, Guy Chevrette et deux autres partenaires de secteurs différents. Avant ce voyage, j'avais déjà envisagé de percer le marché chinois. Mais là-bas, quand on commence au bas de l'échelle, il faut parfois des années avant d'obtenir des résultats. Avec ce comité, j'ai rencontré les présidents des compagnies chinoises, et mon carnet de commandes se remplissait au fur et à mesure des rencontres. Quand je suis revenu au Québec, mon usine roulait à plein rendement.

Tandis que ma compagnie prenait une expansion fulgurante, les premiers symptômes de stress ont fait leur apparition. J'échappais souvent ce que je tenais dans mes mains : assiettes, verres, ustensiles. Il suffisait qu'on m'accroche le coude pour que je renverse tout ce que je tenais. Alors que je me sentais perdu et impuissant devant cette perte de contrôle, je le cachais à mon entourage. L'image que je projetais était tout autre.

Et vint le verglas. Le 5 janvier 1998, la crise du verglas paralysa mon usine de Saint-Jean-sur-Richelieu. Très vite, nous n'avons plus été en mesure de remplir nos commandes. Les premiers jours, j'errais dans mon usine vide, me demandant quoi faire. Au bout de trois jours, voyant que la situation ne s'améliorait pas, je pris la route vers Magog. Même si je passais plus de temps à Saint-Jean-sur-Richelieu, où je louais un studio hôtelier, ma famille était à Magog. À mon grand étonnement, j'étais seul sur l'autoroute. Il n'y avait personne ! À la hauteur de Mont-Saint-Grégoire, une ligne électrique s'était effondrée. Les gens d'Hydro-Québec me la firent traverser, et je pus continuer ma route et rentrer chez moi.

Après avoir passé la fin de semaine à la maison, je décidai de retourner à Saint-Jean même si le courant n'était toujours pas revenu. Durant mon séjour à Magog, j'avais aperçu une pancarte « À louer » dans le quartier industriel. Sur un coup de tête, j'appelai une compagnie de transport pour déménager tout mon matériel de l'usine de Saint-Jean. Je joignis mes employés, qui m'aidèrent à vider l'usine et dont plusieurs étaient prêts à me suivre, avec toute leur famille. Entre-temps, le propriétaire de l'immeuble industriel vacant m'appela. J'étais sur la route vers Magog. Il me demanda à quel moment je pourrais venir visiter les lieux. Je lui répondis que j'arrivais avec tout mon matériel et mes employés dans une heure. Je n'avais pas le choix, et lui non plus !

Arrivé sur les lieux, je joignis toutes les auberges, les gîtes, les appartements et les maisons à louer afin de pouvoir héberger mes employés et leur famille. Nous avons donc poursuivi nos activités pendant près de deux mois à Magog. En tout et pour tout, cette aventure m'a coûté personnellement 150 000 dollars. Et ma compagnie d'assurances ne m'a jamais remboursé, sous prétexte que j'avais changé de ville. Après une longue bataille juridique avec mes avocats, les assureurs me remboursèrent un maigre 5000 dollars. Le plus ironique, dans toute cette histoire, c'est que, si j'étais resté les bras croisés en attendant le retour du courant, mes assureurs auraient été dans l'obligation de me rembourser une somme dix fois supérieure à celle que j'avais dépensée en déménageant nos activités à Magog. Et voilà pour l'initiative !

Or, si je n'effectuais pas ce déménagement, je mettais en péril toute la compagnie. Déjà, mes compétiteurs américains profitaient de la situation catastrophique dans laquelle nous étions plongés pour récupérer nos clients. Ils colportaient la rumeur selon laquelle nous avions fait banqueroute. « *They don't even answer the phone anymore !* » disaient-ils.

Nos plus gros clients furent avertis sur-le-champ que nous vivions une situation exceptionnelle causée par un désastre climatique et nous donnèrent la chance de reprendre nos activités. Et malgré cela, devant l'arrogance des Américains, je décidai de préparer un grand coup. J'allais tenir une conférence internationale au Domaine Château-Bromont et accueillir tous les représentants de nos bureaux de vente à travers le monde.

Ce qu'ils ne savaient pas, ces diables d'Américains, c'est que, même s'ils s'approchaient maintenant de la technologie du modèle ACE-2000 de mon instrument et tentaient de nous briser les ailes en proposant un appareil équivalent à moindre coût, cela faisait deux ans que je travaillais sur mes nouveaux modèles en réserve, le ACE-4000 et le ACE Quattro.

C'est ainsi qu'en juin 1998, plus d'une centaine d'invités firent leur arrivée au Domaine Château-Bromont, aux frais de ma compagnie. Durant une conférence, alors que je présentais le plus récent modèle de mon instrument, je me mis à trembler de tout mon corps. Je dus quitter la salle, aidé par mon ami Brian. Je parvins à retourner dans la salle pour finir la présentation, mais une brèche venait de s'ouvrir. Mon corps appelait à l'aide. Quelques jours après la conférence, mon médecin me conseilla fortement de ralentir la cadence. Je voyageais alors de six à sept mois par année et je ne m'arrêtais jamais. Je n'ai pas honte de dire que, durant cette période, je prenais des pilules pour me garder éveillé et des pilules pour me faire dormir. J'ai poussé la machine à bout, et il était temps de mettre un frein à ce rythme affolant.

Mais je ne l'ai pas écouté. J'allais alors ouvrir une nouvelle usine et tripler mon personnel. J'ai annulé mes vacances pour me consacrer à l'organisation de tout cela et préparer les documents nécessaires. Quelque part vers la fin du mois d'août 1998, j'étais dans mon studio hôtelier et je lisais les documents finaux révisés par mon avocat et mon comptable. Il ne manquait que ma griffe. J'étais indécis. La nuit porte conseil, pensai-je. J'ai décidé de dormir là-dessus.

J'ai l'habitude de me lever très tôt. Ce matin-là, madame Boutin, qui gérait la copropiété hôtelière, fut surprise de ne pas me voir arriver à l'aube, pour prendre le petit-déjeuner avec elle. À 11 h, on vint cogner à ma porte. J'étais incapable de me lever. Cloué au lit, terrassé par le stress et la fatigue accumulés, j'arrivais à parler, mais ne pouvais bouger le moindre membre. Madame Boutin fit couper la chaîne de sécurité de la porte de chambre et on m'emmena aux urgences. Je passai une semaine à l'hôpital, où je fus soumis à une batterie de tests. On suspectait la maladie de Parkinson, dont mon père souffrait à cette époque.

Le diagnostic de mon médecin fut sans appel :

— Vous êtes chanceux, monsieur Pellerin. Vous n'avez rien de majeur. Votre système nerveux est à bout, et vous devez ralentir. Vous avez deux choix : ou vous changez de vie ou la vie vous change définitivement.

Je l'ai écouté. Enfin.

Ironiquement, la dernière publicité confectionnée par Pierre Morin, mon designer, présentait notre nouveau modèle avec le slogan *Smarter is Blue*. Car il était bleu, d'un bleu assez semblable au bleu lavande. Mais cette publicité ne vit jamais le jour. J'étais loin de me douter, à ce moment-là, que ce bleu lavande était la couleur de mon avenir. Quand j'ai retrouvé cette publicité dans mes papiers, alors que Bleu Lavande prenait son essor, j'ai souri en me rendant compte à quel point le slogan visait juste. Oui, il était plus sage, plus fin, de se lancer dans le bleu.

À l'automne 1998, j'ai donc vendu les droits de fabrication et de commercialisation de mes instruments à une compagnie américaine pour seulement garder mon bureau d'ingénierie à Brossard. Je tenais à conserver le savoir-faire que j'avais mis tant d'années à bâtir. Une question demeurait cependant : pourquoi avais-je caché mes problèmes de santé, au risque même de ma vie ?

Je crois que j'ai refusé de baisser les bras par orgueil, certes, mais aussi parce que je me sentais responsable de ma famille, de mes employés. Si j'abandonnais, combien d'emplois seraient perdus ? J'étais celui sur lequel on avait toujours pu compter, le « *one stop solution guy* ».

Je réalisai que pendant toutes ces dernières années, le travail menait ma vie ; j'étais toujours en voyage d'affaires et lorsque je revenais à la maison, j'essayais tant bien que mal de reprendre le temps perdu en famille. À mon retour à la maison de façon permanente à l'automne 1998, je me sentais à la fois libre, heureux et en même temps perdu dans cette nouvelle vie. Je tournais en rond, j'étais mal dans ma peau, je me sentais comme un étranger chez moi… Heureusement que nos enfants nous ramènent toujours sur terre ; je retrouvai enfin Mathieu et Valérie et j'essayai de reprendre la vie de couple avec la mère de mes enfants.

Noël approchait et je ne me doutais pas encore du cadeau que le hasard allait m'offrir au détour d'une promenade dans le coin de Fitch Bay. Et pourtant, le rêve prenait déjà forme.

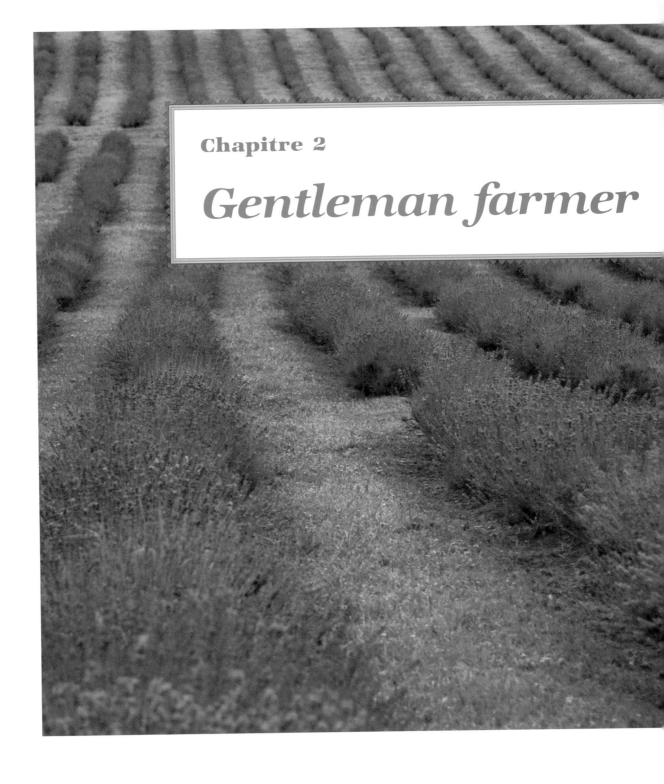

Chapitre 2

Gentleman farmer

« *Le ciel ouvert fait de lui un repère*
Mes yeux font d'eux un reflet
Qui projettent moi défait

Si le ciel fait une éclaircie
Je te jure à faire des envieux
Je me lance dans le bleu »

— Daniel Bélanger

Fleur bleue. Lors d'une conférence que j'avais donnée en Provence pour Électricité de France au printemps 1997, j'avais remarqué ces fleurs bleues qui couraient le long des champs, leur bleu décalant sur l'azur du ciel. L'hiver suivant l'achat de la terre, j'ai repensé à cette fleur. En cherchant sur la Toile, je me suis vite aperçu que c'était de la lavande. « Antistress et ressourçant », annonçait-on. C'est exactement ce qu'il me fallait.

C'est la première raison pour laquelle j'ai décidé de cultiver de la lavande. La deuxième m'est venue d'un agronome du ministère de l'Agriculture, des Pêcheries et de l'Alimentation du Québec (MAPAQ). Il s'appelait Luc. Je suis allé le voir avec mon projet, pour avoir des conseils. Son jugement était catégorique :

— Vous êtes fou, monsieur Pellerin. Ça ne poussera jamais de la lavande, au Québec ! Essayez toujours !

Têtu comme je suis, il venait de me fournir une autre bonne raison de lui donner tort. J'ai alors fait construire une maison sur ma nouvelle terre et j'ai planté mes premiers plants de lavande. Ou, enfin, ce que je croyais être de la lavande ! Je n'avais alors aucune connaissance en agriculture. J'avais acheté deux variétés d'un fournisseur de l'Ontario. Lorsque mes plants se sont mis à fleurir, j'étais incapable de distinguer les deux variétés, car il me paraissait y en avoir plus d'une centaine. J'ai joint mon fournisseur, et il m'a demandé ce que je voulais faire avec cette lavande. Je lui ai répondu que je voulais en extraire l'huile essentielle. Je ne savais pas très bien à cette époque ce que je ferais de cette huile, la vendre telle quelle ou encore en faire des produits dérivés. Très vite, il m'a fait comprendre que ce qu'il m'avait vendu était un hybride de lavande, une plante commune que l'on retrouve dans toutes les pépinières. Ces hybrides sont seulement cultivés pour leur valeur ornementale et ne contiennent pas du tout ou très peu d'huile essentielle, qui a du reste une forte odeur camphrée. Si je voulais extraire de l'huile essentielle de lavande officinale, je devais mettre la main sur de la lavande certifiée. De la lavande vraie, dite « fine ». *Lavandula angustifolia vera* ou lavande officinale. Comme les vignerons qui désirent faire du bon vin, si je voulais produire une huile de qualité, je devais mettre la main sur des plants certifiés.

Mon projet de lavande se dessinait plus clairement devant moi. Il faudrait nécessairement que je mette la main sur des plants certifiés si je voulais cultiver de la vraie lavande. Et il n'était pas question que je prenne des raccourcis ! Tout ce que j'ai fait dans ma vie, je l'ai toujours fait de manière authentique. Je n'allais pas commencer ce projet du mauvais pied.

J'ai donc passé le printemps et l'été 1999 sur ma terre, dans une roulotte adjacente à la maison que j'étais en train d'y faire construire. Je m'amusais avec mon premier tracteur, et les premiers liens se créaient avec mes voisins immédiats,

La maison jaune, à Fitch Bay

Allan et Harry. À l'automne, dans une ultime tentative pour sauver ma vie de couple, ma famille est venue s'installer avec moi à Fitch Bay. Je tentais un nouveau départ, après avoir été absent durant de nombreuses années.

À la fin du printemps 2000, je me suis rendu compte que la compagnie américaine qui s'occupait de commercialiser mon instrument avait piraté mon invention pour éviter de devoir me payer les droits du brevet. J'ai alors plongé dans une saga juridique qui a connu son dénouement en mars 2001, lorsque j'ai fermé définitivement les livres de mon bureau d'ingénierie de Brossard. Ce calvaire légal a miné ma vie. Je voyageais sans cesse entre Boston et Fitch Bay et je dissimulais ce stress à ma famille, mes amis et mes employés. Après une décennie de sacrifices et de travail acharné, malgré tous les éléments de preuve dont je disposais, et sur les fortes recommandations de mes avocats à Boston, j'ai dû lâcher prise et laisser les Américains partir avec tout ce que j'avais bâti. Cette décision fit chavirer mon cœur de fond en comble. Et durant la même période, mon couple éclata définitivement. Je me suis retrouvé seul dans cette grande maison, avec une terre riche en promesses.

À la suite de mon divorce, j'ai songé à tout quitter. Mais la lavande faisait tranquillement son chemin en moi. Peu à peu, j'ai repris goût à la vie grâce à des choses simples :

déboiser, labourer, creuser des chemins sur cette terre qui prenait forme sous mes yeux. À ce moment, je me voyais surtout comme un *gentleman farmer* qui allait passer la moitié de l'année dans ses champs de lavande, et l'autre moitié dans le Sud. Mais avant cela, il fallait que je me renseigne davantage sur cette plante que je voulais voir fleurir à foison dans mes champs.

Je voulais développer un projet unique, comme tout ce que j'avais fait dans ma vie. C'est pourquoi j'ai cherché à cultiver une lavande certifiée, une lavande vraie, et non pas de vulgaires hybrides dont la qualité de l'huile essentielle n'a rien à voir avec celle de la vraie lavande, son parfum suave et riche et, surtout, ses propriétés thérapeutiques. Méfiez-vous des imitations! L'huile de ces lavandes hybrides et de ces lavandins est mélangée à des huiles de synthèse qui imitent l'odeur de la lavande afin d'être utilisée pour parfumer des savons et des lessives bon marché, mais ses vertus s'arrêtent là. Et ce n'est pas parce que vous visitez un domaine où poussent des fleurs bleues que les produits que vous y retrouvez sont nécessairement faits à partir d'huile essentielle de lavande officinale. La présence de ces fleurs autour de vous ne pourrait être l'effet que d'un pur hasard!

Encore aujourd'hui, certains opportunistes essaient de profiter de Bleu Lavande en calquant leur entreprise sur la

mienne pour entretenir la confusion dans l'esprit du public. Je ne peux qu'avoir pitié de si tristes manigances. Que quelqu'un ait le rêve de faire pousser de la lavande au Québec ou ailleurs, c'est fantastique, et je vous assure que je lui apporterai mon soutien. Il faut seulement que ce rêve lui appartienne en propre et qu'il ne soit pas le résultat d'un opportunisme commercial et médiatique. Déjà, des cultivateurs de l'Ontario et du Québec ont pu profiter des connaissances que j'ai acquises et partagées avec eux. Évidemment, je ne leur ai pas dévoilé tous mes trucs. C'est cela qui fait l'originalité d'une entreprise, son caractère unique. Et ce caractère, c'est l'être humain qui l'insuffle. Chaque être est unique et le destin des hommes n'est jamais tracé d'avance. Peu importe ces petits voleurs qui rôdent aux alentours. Ce que l'on ne peut pas me voler, c'est mon histoire et ma vie.

Afin de parfaire ma connaissance de la lavande et d'apprendre les rudiments du métier, je suis reparti en voyage au printemps 2002 pour aller à la rencontre de mes collègues lavandiculteurs. C'est à Malaucène, en Provence, que je me suis procuré ma récolteuse de lavande. Les lavandiculteurs de Provence étaient accueillants, mais, dès que je posais trop de questions, ils cessaient de parler. Certains se moquaient de moi. « Ton pays, ce n'est pas un pays, c'est l'hiver ! » me lançaient-ils à la blague. Ils le trouvaient fou, ce Québécois !

Ce qui m'a le plus surpris, dans ce voyage, c'est d'apprendre que les plus belles productions de lavande n'étaient plus nécessairement établies en Provence, mais surtout en Bulgarie, en Australie et en Nouvelle-Zélande. Comme pour le vin. Non pas que la France ne produise plus de bonne lavande, tout comme de bons vins, mais d'autres ont depuis élaboré une méthode et un savoir-faire tout à fait comparables. Il faut compter aussi sur le fait que la France cultive beaucoup de lavandin et que les producteurs de lavande officinale représentent à peine 10 % de la production nationale. Ils se concentrent surtout dans la région des Hautes-Alpes. Depuis 1985, les producteurs bulgares et australiens ont d'ailleurs remporté un grand nombre de prix dans le domaine de la culture de la lavande officinale.

La raison pour laquelle j'ai particulièrement accroché sur la lavande dite « anglaise vraie », c'est que son odeur faisait remonter en moi des souvenirs d'enfance. Dans les années 60, mon père et ma mère tenaient une pharmacie et nous habitions juste au-dessus. Je me rappelle que, dans le rayon des cosmétiques, il y avait les fameux produits Yardley. De petites boîtes métalliques renfermant de la poudre de talc parfumée à la lavande. Je me souviens aussi qu'il était inscrit *True English* sur ces boîtes. Lorsque, dans mes recherches, j'ai découvert que les Anglais, de même que les Australiens, cultivaient surtout ce type de lavande, j'ai tout de suite associé cela aux produits Yardley qui ornaient les étagères de la pharmacie. J'ai donc joint un producteur australien à qui j'avais rendu visite, et il m'a donné les coordonnées du laboratoire qui lui fournissait ses plants de lavande *True English* et *True Munstead*. Cela me donnait l'assurance non seulement de cultiver une lavande certifiée, mais aussi de produire une huile de la plus haute qualité.

En 2002, je croyais enfin maîtriser tous les secrets de la lavande. L'agronome du MAPAQ m'avait donné quelques conseils et, puisque la lavande est une vivace, il m'avait dit que je pouvais la planter à la fin de l'été. Des 6000 plants maîtres que j'avais commandés d'Australie, j'ai fait 70 000 boutures herbacées que j'ai fait patienter en serre jusqu'au moment de leur mise en terre, fin août. Seulement, le mois de septembre 2002 fut particulièrement aride. J'ai dû arroser mes champs avec un tracteur auquel j'avais accroché une douche, à un kilomètre à l'heure. Dès

La légende de la lavande

Une jolie fée aux yeux bleus, prénommée Lavandula, aurait vu le jour au milieu des lavandes sauvages. Depuis, elle parcourt les terres à la recherche de champs de lavande. Alors qu'elle survolait le paradis valonné des Cantons-de-l'Est, juchée au faîte de la colline d'Applegrove, son regard se fixa sur le village pittoresque de Fitch Bay. Voilà qu'au loin, elle aperçu, des petites taches bleu lavande.

Des artisans acharnés, déterminés à faire subsister la lavande au Québec, oeuvraient dans les champs. Malheureusement, l'hiver rigoureux avait dérobé les champs de la majorité des plants parfumés. Malgré cet événement désastreux, fidèles à leur rêve, les instigateurs du projet se remirent aussitôt à la tâche. Lavandula fut si émue, devant leur volonté et leur passion, qu'elle versa quelques larmes de lavande sur les champs épurés.

On raconte que depuis ce jour, la lavande pousserait allégrement sur les terres de BLEU LAVANDE, et que, les gens sont nombreux à se déplacer pour respirer le parfum des bouquets et contempler ce que la nature a de plus beau à offrir, surtout face au spectacle féerique qu'offre le ciel bleuté tombant sur les champs de lavande en fin de journée.

le lever du soleil, avec ma petite équipe, nous plantions les boutures, et la journée finissait à peine que j'embarquais sur mon tracteur pour les arroser. Ce manège a duré un mois. J'étais sur mon tracteur du matin au soir et guettais sans cesse le moindre signe d'orage. Parfois, je voyais les nuages s'amonceler au loin et je me disais que la pluie allait enfin tomber. Mais aux abords de Fitch Bay, les nuages bifurquaient! Je n'en revenais pas! C'est à ce moment que mon voisin Allan m'a averti de ne jamais me fier à la météo de Sherbrooke et de plutôt regarder du côté de Newport. Il m'apprit que notre situation géographique profitait d'un microclimat, autant en été qu'en hiver.

En effet, le hameau d'Applegrove est situé à 300 mètres d'altitude, en plus d'être entouré par les monts Bromont, Jay Peak et Owl's Head, de même que les collines Brown et Bunker. Cette situation particulière combinée à l'humidité du lac Memphrémagog contribue à créer ce microclimat.

Cette routine d'arrosage a failli me coûter la vie, un soir de ce fameux mois de septembre 2002. J'étais en train d'arroser les champs, avec le réservoir de 1000 litres d'eau accroché à mon tracteur et je m'étais engagé dans un dénivelé un peu prononcé de mon champ. Tout d'un coup, la transmission a rendu l'âme. Je me dirigeais à vive allure vers la clôture qui séparait mon champ de celui du voisin. Et ce qui devait arriver arriva : je suis entré en collision avec ladite clôture, mais, par miracle, je n'avais rien. Une sacrée frousse !

Et c'est à cette époque que j'ai fait la connaissance de Christine, ma compagne, sans qui Bleu Lavande ne serait pas ce qu'il est aujourd'hui.

Chez Bleu Lavande, nous cultivons uniquement de la lavande officinale, dont le nom latin est Lavandula angustifolia vera. *Les deux variétés que nous cultivons sont la* True English *et la* True Munstead.

True English

True Munstead

Je suis très fier de dire que, depuis 2003, l'huile essentielle que nous produisons respecte la norme ISO 3515, qui caractérise la qualité de l'huile essentielle de lavande officinale dans le monde entier. Bleu Lavande est le premier et actuellement le seul producteur de lavande certifiée au Canada. Nous sommes aussi membres de la Fédération internationale des producteurs d'huile essentielle située à Londres, en Angleterre.

L'histoire de la lavande remonte à l'Antiquité. Les Romains s'en servaient déjà pour parfumer leurs bains ou encore conserver le linge. L'origine du mot « lavande » vient d'ailleurs de la même racine que le verbe « laver ». Au Moyen Âge, son utilisation s'est répandue dans le bassin méditerranéen grâce à ses vertus médicinales. La célèbre religieuse mystique Hildegard von Bingen, qui a vécu en Allemagne au XIIe siècle, a d'ailleurs évoqué le pouvoir de cicatrisation de la lavande dans un traité sur l'utilisation des plantes à des fins thérapeutiques.

La lavande est aussi une plante mellifère, dont le pollen est très recherché par les abeilles. Par contre, elle n'est pas appréciée de tous, comme en témoigne mon expérience cocasse avec les chevreuils. En effet, je me suis déjà réveillé un matin en constatant que plusieurs de mes plants avaient été arrachés par des rôdeurs. Le lendemain, je me suis levé à l'aube pour prendre ces vandales sur le fait et j'ai aperçu des chevreuils qui arrachaient mes plants de lavande pour les recracher aussitôt, comme s'ils étaient dégoûtés. Après avoir été chassés, ils ne sont plus jamais revenus. Je me suis dit à ce moment-là qu'ils devaient se parler entre eux et avaient averti leurs compères que ces belles fleurs bleues qui poussaient sur la colline d'Applegrove n'avaient pas très bon goût !

Le produit de la distillation des plants de lavande est composé d'huile essentielle et d'eau florale. On obtient ce distillat grâce à la vapeur d'eau qui passe à travers les fleurs de lavande et en conserve l'huile essentielle. Chaque année, Bleu Lavande récolte plus de 17 tonnes de fleurs. Bon an mal an, nous produisons de 30 à 50 litres d'huile essentielle et 120 à 200 litres d'hydrolat par acre de terre cultivée. Cela dit, la quantité d'huile dépend de la maturité des plants et de la température. Un été chaud et sec favorisera la production d'huile essentielle, tandis qu'un été pluvieux et humide nous fournira une plus grande quantité d'eau florale. En ce sens, le microclimat d'Applegrove nous sert bien, puisqu'il est plus à même de nous fournir des périodes de sécheresse qui contribuent à la qualité de l'huile essentielle de lavande.

Quant à la maturité des plants, il faut un certain nombre d'années avant qu'ils atteignent leur pleine capacité. Quand ils deviennent trop vieux et que leur production d'huile essentielle décline, nous les transplantons dans le « trottoir des légendes », une allée de notre domaine où continuent de croître ces plants vénérables.

Quant aux vertus de l'huile essentielle de lavande, elles sont si nombreuses que ce serait vain de les énumérer ici. Quand les gens visitent la distillerie, je leur demande toujours à la blague s'ils ont quelqu'un à faire relaxer. Je leur dis que, s'ils peuvent me fournir un cobaye (mari, femme, collègue, patron), je pourrai le distiller avec mes fleurs de lavande. Dans mon cas, la lavande m'a véritablement sauvé la vie. Tous les soirs avant de me coucher, je dépose quelques gouttes d'huile sur mes poignets et mon plexus solaire et je dors comme un bébé...

Chapitre 3

L'amour à la rescousse

« *Ici, la lavande embaume ciel et terre*
Elle se joue de l'ombre et de la lumière. »

— Jean Giono

J'ai rencontré Christine grâce à un site de rencontres. À mon âge, je me voyais mal aller courir la galipote dans les bars. C'est pourquoi je suis passé par la Toile pour trouver quelqu'un qui correspondrait à mes attentes. Tout de suite, le profil de Christine m'a plu. Nous nous sommes écrit, puis nous avons passé de longues heures au téléphone. Nous nous entendions à merveille. Christine se sentait attirée par la passion qui m'animait. Il ne restait que l'étape de la rencontre, moment fatidique entre tous.

Elle m'a finalement donné rendez-vous à Granby, où elle habitait alors. Je ne l'avais encore jamais vue. Tout ce que je connaissais, c'était sa taille et la couleur de ses cheveux. Nous avions prévu nous rencontrer chez Madame Hortense, un café du centre-ville. J'étais arrivé un peu d'avance et je poireautais sur le trottoir, essayant de deviner qui, parmi les passantes, était Christine. Ce que je ne savais pas, c'est qu'elle m'observait alors de sa voiture ! Elle a fini par venir à ma rencontre et nous nous sommes attablés. Au bout d'une demi-heure, elle m'a proposé de rentrer chez elle pour me présenter son fils, Jacob. Il avait 12 ans à cette époque. Et c'est comme ça que nous nous sommes mis à nous fréquenter.

Peu de temps après, nous nous promenions en voiture et je lui faisais découvrir mon coin de pays. Je lui pointais du doigt certaines maisons et la renseignais sur leur propriétaire. En arrivant à Applegrove, je lui désignai ma maison comme si ce n'était pas la mienne. Elle la trouva si belle que je lui proposai d'aller y faire un tour. Je lui dis que je connaissais le propriétaire et que nous pourrions la visiter sans problème. Évidemment, puisque le propriétaire, c'était moi ! Elle fut tout de suite enchantée par le domaine. Et c'est grâce à elle qu'il allait prendre le visage qu'on lui connaît. Il ne manquait que son coup de baguette magique pour que mes champs de lavande prennent leur essor.

Au début, ma relation avec Jacob était délicate. Pour lui, il n'était pas question de partager sa mère avec moi ! Depuis plusieurs années, Christine et Jacob avaient créé un lien mère-fils très fort. Tandis que moi, j'arrivais tout d'un coup et je venais bousculer leur vie. Il fallut qu'un événement survienne à l'école qu'il fréquentait pour changer la situation. En faisant équipe avec mes enfants Mathieu et Valérie, qui étaient d'anciens élèves de son école, nous avons réglé son problème et montré à quoi servait un esprit de famille. Cette situation fut l'élément déclencheur d'une belle complicité entre Jacob et nous. Nous avons alors passé notre premier Noël en famille, avec tous nos enfants réunis. C'était le début d'une nouvelle vie et d'une nouvelle famille.

Puis, l'hiver arriva. Un hiver sans neige. Je voyais mes jeunes plants dépérir à vue d'œil, emprisonnés dans la glace après une période de pluies diluviennes et de gel intense. Je ne pouvais pas me douter de l'ampleur du désastre, car les producteurs de lavande que j'avais rencontrés ne m'avaient jamais parlé d'une quelconque technique pour protéger les plants contre le froid hivernal, puisque les hivers de la Provence et de l'Australie n'avaient pas

Les champs de lavande couverts de paille, une fois le printemps venu.

la rigueur des nôtres. J'allais devoir trouver par moi-même les techniques pour cultiver la lavande en sol québécois. Il faut considérer aussi que je vivais une période heureuse de ma vie, avec ma nouvelle blonde et mon entreprise embryonnaire, ce qui s'accompagnait d'une légère insouciance. Nous sommes même partis en vacances dans le Sud avec tous les enfants, au début du mois de mars.

De retour de notre voyage, à mesure que le peu de neige qui s'était accumulé fondait, je découvrais avec stupeur que mes plants étaient sortis de terre, gris, mornes... J'avais tout perdu ! J'ai pleuré devant ce spectacle contre lequel je ne pouvais rien faire. C'était un désastre total. J'avais perdu plus de 80 % de ma production. J'en ai braillé durant des jours. J'ai dit à Christine que je ferais mieux de retourner dans le domaine de l'électronique, où j'avais eu du succès. Le moral était au plus bas. Christine, qui ne connaissait rien à la lavande, partageait ma tristesse. Avec son amour et son cœur, elle tentait par tous les moyens de m'encourager. Une chance qu'elle était arrivée dans ma vie.

Tout à fait par hasard, un jour où nous nous promenions dans le coin de Compton, j'ai aperçu des rangs de paille dans un champ. C'était une fraisière. Nous avons rendu visite au producteur, qui nous expliqua que la paille était là pour protéger les plants de fraises du gel, en cas d'absence de neige.

Je lui ai alors demandé :

— Vous croyez que ça pourrait marcher pour des plants de lavande ?

— De la laquoi ?

— De la lavande !

— Écoutez, monsieur, je n'ai aucune idée de ce dont vous parlez, mais c'est sûr que ça ne peut pas faire de tort.

De retour à la maison, nous avons réalisé qu'il serait possible de sauver environ 10 000 plants. Christine et moi étions pris d'une grande excitation. Nous avons marché à travers les champs et récupéré tous les plants en bon état. Ainsi, un par un, nous les avons rangés dans une serre de fortune. Entre-temps, j'ai fait la commande de 15 000 nouveaux plants et j'ai communiqué avec Agriculture et Agroalimentaire Canada pour obtenir les autorisations nécessaires à leur importation. C'est là que j'ai appris qu'il me serait impossible d'importer des plants en terre. Il fallait absolument que les racines soient à nu. J'ai joint le laboratoire en Australie et il a accepté de faire l'envoi avec les racines à nu, mais m'a du même coup averti qu'il faudrait mettre ces plants en terre dans les 48 heures suivant leur arrivée. Comme la durée d'un vol d'avion entre le Québec et l'Australie est de 24 heures, ils risquaient de périr. Quand je suis allé les chercher à Dorval, je disais à la blague que j'espérais que le douanier ne me « plante » pas !

Avec l'aide de Christine et de Jacob, nous avons passé 32 heures à mettre en terre la totalité des plants. Durant l'été 2003, nous nous sommes donc consacrés amoureusement à notre terre. Mon frère Michel et ma belle-sœur Andrée, nos enfants et amis, tous venaient prêter main-forte à notre entreprise quelque peu hasardeuse. C'est qu'à ce moment, je ne savais pas encore de quoi aurait l'air notre entreprise. En bon *gentleman farmer*, je voulais surtout cultiver la lavande, en distiller l'huile et l'eau florale… et passer le reste de l'année en congé, à l'abri des préoccupations… Un vrai *gentleman farmer*, quoi ! Je n'avais jamais imaginé que mon domaine puisse devenir le site agrotouristique le plus visité du Québec ! Christine, quant à elle, avait toujours rêvé d'avoir une entreprise avec son compagnon de vie.

La première boutique Bleu Lavande, en 2004.

Elle pensait notamment à une boutique où elle pourrait vendre des produits dérivés de la lavande. Nous avons donc entamé les travaux pour la construction de la boutique. Au départ, Christine ne voulait qu'une petite boutique de dix pieds sur dix. Je lui ai vite fait comprendre qu'il ne valait pas la peine de construire une boutique qu'il faudrait aussitôt agrandir si les affaires venaient à prendre. J'avais encore ce réflexe naturel de voir grand. Nous avons donc construit une boutique de dix pieds sur trente (qu'il a fallu agrandir !) et nous nous sommes mis à élaborer différentes recettes de savons.

Ce fut une période riche pour Christine et moi. Après le travail, même si nous étions exténués, nous organisions souvent un souper à la bonne franquette et invitions la famille et les amis qui demeuraient tout près. Christine avait installé des chandelles tout au long de la galerie. L'atmosphère était conviviale, pétrie de chaleur humaine. Cette aventure à peine entamée laissait présager des lendemains qui chantent. Nous n'avions pas encore de nom pour l'entreprise, et les amis prenaient part à la réflexion. On se lançait des concours autour de la table, à savoir qui allait trouver le meilleur nom. Moi-même, j'avais déjà mon idée, mais, lorsque je leur ai proposé ma « Lavande du pèlerin », Christine a levé les yeux au ciel et m'a dit qu'elle trouvait ça trop « moine », surtout que de l'autre bord du lac Memphrémagog se tenait fièrement, sur sa pointe de terre entourée par les vergers, l'abbaye de Saint-Benoît-du-Lac. Décidément, c'était mieux de ne pas aller jouer dans leurs plates-bandes !

D'autant plus que, cet été-là, Christine et moi avions pris une semaine de vacances dans le Bas-du-Fleuve et, par un curieux concours de circonstances, nous ne cessions de visiter des auberges, des gîtes et des restaurants « du pèlerin ». Nous n'en avons peut-être vu que trois, mais c'est comme si nous en avions vu cent. Ce fut le clou dans le cercueil « du pèlerin ». Nous devions trouver autre chose.

Une foule de noms continuaient de se presser à la porte : « Lavande aux quatre vents », « Les jardins de lavande »... Nous avions des cahiers remplis à n'en plus finir de noms, sans nous douter que nous étions passés à côté du plus simple, du plus doux de tous les noms : Bleu Lavande. Ce bleu qui nuançait si tendrement le bleu du ciel.

C'est Christine qui a proposé « Bleu Lavande ». Au départ, j'avais des doutes et je proposais plutôt « Lavande bleue », sous prétexte que, si les gens faisaient une recherche sur Internet, ils allaient d'abord taper le mot « lavande ». Mais Christine a tenu son bout, évoquant le côté romantique de « Bleu Lavande ». Elle avait bien raison. *Smarter is Blue.*

À la fin de l'été, tout était prêt. Notre plantation avait fière allure. Avec l'aide de Jacob et de Valérie, nous l'avons couverte de paille en prévision de l'hiver. Les fêtes de 2003 furent mémorables, car la famille était réunie au grand complet. Un lien fort se tissait entre Mathieu et Jacob, tandis que Valérie découvrait un nouveau frère qui aimait bien la taquiner. Au printemps 2004, fébriles, nous avons découvert des plants en parfait état. C'est à ce moment que j'ai demandé Christine en mariage.

Chapitre 4
Un été en bleu

« *Je ne veux pas mettre le plantoir en terre*
pour en faire une seule bouture, pas plus
que je ne souhaiterais, si j'étais fardée,
que ce jeune homme m'admirât et fût pris
par cela seul du désir de me rendre mère...
Voici des fleurs pour vous : la chaude lavande,
la menthe, la sarriette, la marjolaine ; le souci
qui se couche avec le soleil, et avec lui se lève
tout en pleurs : ce sont des fleurs de la mi-été,
et je crois qu'on les donne aux hommes d'âge
mûr... Vous êtes les très bienvenus. »

— William Shakespeare

Comme nous venions de relever ce grand défi ensemble, je voulais célébrer notre union durant la plus belle période de floraison et partager ce beau moment avec notre famille et nos amis. Nous avons donc décidé de nous marier dans nos champs de lavande en fleurs, juste avant l'ouverture officielle de la première saison de Bleu Lavande. Je dis souvent à la blague qu'en rencontrant Christine, j'ai trouvé ma fée Lavandula, cette belle fée blonde aux yeux bleus qui serait à l'origine de la présence de la lavande en Provence.

Il a fallu engager un gardien, posté à l'entrée du site, pour empêcher les gens d'entrer, car tout le monde pensait que c'était notre ouverture officielle, alors que c'était notre mariage ! Dès le lendemain, le gardien étant parti, les gens entraient sur le domaine et voulaient acheter nos produits. Nous nous sommes donc mis à l'ouvrage en plein voyage de noces !

Celui-ci était déjà compromis, il faut le dire. Quelques semaines auparavant, les gens de *La semaine verte*, une émission de télévision sur le monde rural

Ouverture du domaine Bleu Lavande en 2004 :
les médias se mettent de la partie !

moderne, l'agroalimentaire et l'environnement diffusée à Radio-Canada, m'avaient joint pour venir tourner un reportage. Ils voulaient filmer durant la plus belle période de floraison, soit les 12, 13 et 14 juillet. Le mariage étant prévu pour le 10, cela nous laissait bien peu de temps pour reprendre notre souffle !

Le mardi 13 juillet, durant la deuxième journée de tournage de *La semaine verte*, j'ai reçu un autre coup de fil. Les gens de TVA venaient de prendre connaissance de Bleu Lavande et voulaient aussi venir tourner un reportage. Je leur ai proposé de venir à l'ouverture, le 15 juillet, mais ils ne voulaient pas attendre. C'était maintenant ou jamais ! Ils sont donc venus tourner leur reportage en même temps que l'équipe de *La semaine verte*. Quand je leur ai demandé où le reportage serait diffusé, ils m'ont répondu que c'était pour le réseau régional. Comme c'était la première année, je me réjouissais de savoir que les gens des Cantons-de-l'Est pourraient prendre connaissance de notre petite entreprise par le biais de cette capsule.

À ce moment, je m'attendais à une affluence modeste pour notre premier été en activité, quelques dizaines de personnes par jour. Petit train va loin, comme on dit. Eh bien, dès le mardi midi, la capsule tournée la veille était la « bonne nouvelle TVA » à la grandeur du réseau. Nous avons été « la

bonne nouvelle » durant deux jours entiers ! Le lendemain, un jour avant l'ouverture officielle, environ mille personnes foulaient le sol du domaine Bleu Lavande. Dans ma cour ! Nous n'étions même pas ouverts ! Et nous n'étions que quatre personnes ! Deux employés, Christine et moi. Ce fut la panique. Nous avions un urgent besoin d'employés. Je demandais à tout le monde s'ils n'avaient pas des enfants, des cousins, des amis, alouette, pour venir nous prêter main-forte. Il y avait une heure et demie d'attente avant d'entrer dans la boutique ! En deux jours, nous avons réussi à trouver douze employés supplémentaires.

Devant ce succès fulgurant, *La semaine verte* décida de rester sur place et communiqua avec ses collègues du Réseau de l'information (RDI) pour leur faire savoir qu'ils étaient en train de manquer le bateau. Ils m'appelèrent et me demandèrent de venir tourner un reportage sur place. Je leur fis comprendre que nous étions débordés et que ce serait impossible de leur accorder de l'attention durant la journée. Il faudrait qu'ils viennent en dehors des heures d'ouverture.

— Votre heure sera la mienne, monsieur Pellerin.

— 5 h 30 du matin, alors !

— Sans problème.

Le lendemain, l'équipe de RDI est arrivée au lever du jour. Une brume féerique flottait au-dessus de mes champs de lavande en pleine floraison. Les images tournées ce matin-là furent majestueuses. Et dès leur diffusion, encore plus de gens sont venus faire leur pèlerinage chez Bleu Lavande. Et ce fut le tour de *La Presse* et de *The Gazette*. Les gens étaient tassés comme des sardines dans la boutique, sans air conditionné... l'enfer sur terre !

Pendant que Christine s'occupait de la boutique infernale, j'étais dehors pour assurer le bon déroulement des visites. Walkie-talkie en poche, cellulaire et téléphone d'entreprise dans chaque main, j'essayais tant bien que mal de diriger les voitures qui arrivaient sans broncher. Je n'avais même pas de stationnement! À un certain moment, la Sûreté du Québec nous a rendu visite parce que les voitures bloquaient le chemin Narrows et empêchaient les camions de passer. Ça klaxonnait de tous côtés. Une vraie mascarade!

Pendant cet achalandage, nous avions toutes les difficultés du monde à prendre une petite pause pour manger. La fin de la journée arrivait et nous n'avions plus d'énergie. Complètement à plat ! Mais le lendemain arrivait à grands pas et nous laissait peu de répit. Nous étions devenus la coqueluche des médias et les visiteurs en redemandaient. Et dire que j'avais choisi la lavande pour me relaxer !

Vingt-huit jours plus tard, nous n'avions plus rien à vendre. Mais les gens continuaient d'entrer sur le domaine et se fâchaient contre nous parce que nous n'avions plus rien. *La Presse* et *The Gazette* avaient sorti leurs articles un peu en retard, et nous ne pouvions rien vendre aux visiteurs que ces articles avaient attirés. Nous en étions rendus à couper les derniers savons en tranches pour pouvoir offrir quelque chose aux clients ! Et dire que durant l'hiver, alors que Christine et moi préparions les savons que nous allions vendre durant l'été, nos amis trouvaient que nous en faisions trop !

On a barricadé le chemin et averti tout le monde que c'était fini pour cet été. Avec tout ça, je n'avais même pas encore récolté ma lavande, je n'avais rien distillé. Et pendant que nous nous affairions à rattraper le temps perdu, les gens passaient par-dessus la barrière et venaient à notre rencontre. Au moins, ils savaient que nous n'avions rien à leur vendre. Cet été-là, nous avons évalué l'affluence des

visiteurs à environ 25 000 personnes, en seulement 28 jours.

Un vrai tsunami venait de nous frapper. Les
habitants du village de Fitch Bay ne comprenaient
pas ce qui venait de se produire. Qui était cet homme
qui faisait pousser de la lavande? Les visiteurs se
perdaient souvent en se rendant chez Bleu Lavande
et arrêtaient partout pour demander leur chemin.
Personne ne pouvait leur répondre. Les cultivateurs
me téléphonaient pour pouvoir expliquer la route aux
passants. L'été suivant, en effectuant un décompte
plus fiable, nous en étions à 52 000 visiteurs. Et
même si nous avions prévu une augmentation de
l'affluence, nous avons manqué de produits. C'était
parti pour de bon, et rien ne semblait pouvoir stopper
cette ascension fulgurante.

Après la récolte de la lavande en 2004, j'ai
distillé à plein régime. Je passais des journées
entières dans la chambre de distillation. Laissez-moi
vous dire que je ne souffrais pas d'insomnie à ce
moment-là! De plus en plus, je constatais les effets
bénéfiques de la lavande sur ma santé. Un soir que
j'avais distillé toute la journée, je pris un repos bien
mérité sur un banc dans la distillerie, une bonne

Pierre en pleine action dans la distillerie.

bière à la main. Une fois la bière bue, j'étais rond comme si j'en avais bu toute une caisse! Cette anecdote m'apprit une chose très importante: il vaut mieux ne pas trop mélanger alcool et lavande! Cette même année, on nous invita à participer aux Grands Prix du tourisme. Nous avons remporté le prix «coup de cœur» du jury, ainsi qu'un prix «innovation» au Gala Reconnaissance Estrie.

C'est en décembre 2005 que j'ai testé la première version de mon épandeuse de paille, que j'utilise pour couvrir efficacement mes plants en prévision de l'hiver. Comme le mois de novembre était particulièrement boueux, j'ai dû attendre que le sol gèle. J'ai fini de recouvrir mes plants le 24 décembre, la veille de Noël. Dire que sept ans auparavant, je mettais les pieds sur cette terre pour la première fois, sans savoir ce que j'allais en faire.

Durant l'hiver 2005, nous avons investi le sous-sol de notre maison avec nos amies Danielle et Carmen pour fabriquer nos savons et mettre en bouteille les produits que le laboratoire cosmétique avait préparés à partir de notre huile essentielle. Ce fut une vraie partie de plaisir, et ça sentait la lavande dans toute la maison. Quand nous sortions pour aller faire des courses, les gens se retournaient sur notre passage, détectant le doux effluve qui nous enrobait. Nous étions, sans aucun doute, sur un nuage de lavande!

Comme à chaque printemps, mon cœur cessa de battre au moment où nous avons dégagé les plants de lavande de leur manteau de paille. Quel plaisir de les retrouver en bon état, pour me permettre de continuer ce beau rêve!

Cette année-là, nous avons préparé de nouveaux champs et nous y avons planté 100 000 nouveaux plants de lavande. Nous avons aussi construit un immense stationnement, digne de ce nom, et nous avons agrandi la boutique. Pour l'été 2005, nous avions une équipe de 24 employés, dont nos tout premiers guides. Nous étions tous fébriles et parés pour la grande saison. Du moins, c'est ce que l'on croyait !

Les gens du village de Fitch Bay étaient aussi mieux préparés pour le deuxième tsunami. Encore une fois, nous avons été dépassés par les événements. L'affluence a doublé, charriant dans son sillage 52 000 visiteurs. À la fin du mois d'août, la récolte formidable m'a tenu occupé. Le distillateur roulait à plein régime, et il n'était pas rare que je distille de l'aube au crépuscule. Enveloppé par ma bulle de lavande, je me faisais alchimiste. Je peux dire sans exagérer que la distillation est un rituel en soi. Mis à part tout le plaisir que j'ai à parcourir mes champs au volant de mon tracteur lors de la récolte, c'est quand je distille que je vis les moments les plus magiques de ma nouvelle vie d'agriculteur.

Jusque-là, notre entreprise était surtout tournée vers l'agrotourisme et les produits artisanaux. Lorsque j'ai constaté l'affluence monstre qui ne cessait d'augmenter, j'ai senti qu'il allait bientôt falloir s'occuper du volet commercial. Des changements majeurs s'imposaient et, heureusement, j'avais de l'expérience dans le domaine…

Bleu Lavande^{MC}

« *Voyez la belle lavande*
Seize brins pour un sou
Sentez-la, gentes dames
Son parfum est si doux! »

— Ritournelle des vendeurs de lavande
à la criée, à Londres, autour de 1900

I l faut rendre à César ce qui revient à César, dit le proverbe. Or, c'est vraiment à ce moment que le talent de Christine se fit sentir. Sur le plan artistique, je ne faisais pas le poids. C'est là que je découvris la vraie passion de Christine pour notre projet. En alliant le côté artistique et design de Christine à mon côté gestionnaire et visionnaire, tout devenait possible. Devant l'obligation de développer le volet commercial de Bleu Lavande, nous avons d'abord procédé à un renouvellement du design des produits, design qui est demeuré le même jusqu'à aujourd'hui. Une belle et longue relation professionnelle s'est établie avec Suzanne et son équipe de communications. De l'entreprise artisanale que nous étions, nous sommes passés à un design professionnel, avec une typographie reconnaissable entre toutes. Si reconnaissable, en fait, que des gens mal intentionnés pourraient facilement l'utiliser pour étiqueter leurs produits, et la plupart des acheteurs ne verraient pas la différence. Évidemment, tout cela ne serait l'effet que du pur hasard !

Du côté des produits eux-mêmes, nous avons établi un partenariat avec un nouveau laboratoire et pris en considération la qualité de vie des femmes en offrant

La boutique s'agrandit, l'affluence
augmente, le rêve se poursuit !

notre huile essentielle de lavande pure combinée à des ingrédients haut de gamme, en évacuant tous les produits pétroliers et les parabènes qui auraient pu facilement entrer dans la composition de nos recettes. On a revu le concept de fond en comble.

Nous avons aussi agrandi la boutique de Fitch Bay en y ajoutant une aile supplémentaire. La venue de mon beau-frère Pascal pour la saison 2006 fut très appréciée, entre autres grâce à son expérience avec les médias. En juin 2006, nous avons convoqué une conférence de presse pour présenter le nouveau visage de Bleu Lavande. Ce fut un grand succès. Tous les médias étaient présents, autant la télévision et les journaux que la radio. Cette année-là, nous avons accueilli 71 000 visiteurs. L'année suivante, ce nombre a grimpé à plus de 140 000. Et depuis 2008, le domaine Bleu Lavande accueille en moyenne 190 000 visiteurs par année, en l'espace de quatre mois.

En décembre 2006, alors que je revenais d'une réunion à Montréal, j'étais en grande conversation avec ma mère au téléphone cellulaire. Elle me parlait de mon frère Michel qui revenait de l'hôpital pour un problème cardiaque. Le temps

d'une fraction de seconde, je perdis le contrôle de mon camion sur une plaque de glace noire. Deux tonneaux plus tard, je me retrouvais dans un champ, la tête à l'envers, avec ma mère qui criait au téléphone. Je vous jure que notre Noël 2006 fut tout en émotions!

Des quatre employés que nous étions pour l'ouverture en 2004, nous sommes passés à 150 employés. Sur le domaine de Bleu Lavande, une journée d'été, nous sommes entre 50 et 55 qui travaillons de concert: caissières, surveillants, guides, horticulteurs… sans compter les services offerts dans les champs de lavande, comme les massages. Même avec l'agrandissement de la boutique en 2006, nous étions aux prises avec de longues files d'attente pour entrer dans la boutique, et même pour entrer sur le domaine. J'essaie tant bien que mal d'animer la foule. Pourtant, quand les gens sortent de la boutique, les bras remplis, ils ont le sourire aux lèvres. Je n'ai jamais entendu personne se plaindre, ou si peu.

Au début, mes amis ne me croyaient pas. Ils me disaient:

— Tu bluffes, Pierre.

— Viens voir par toi-même!

Le succès de Bleu Lavande était si soudain et invraisemblable que personne ne voulait croire à mon affluence. À un tel point que le jour où nous avons déposé notre candidature pour pouvoir poser un panneau touristique à la sortie de l'autoroute 10, le ministère du Tourisme n'a pas cru à notre nombre de visiteurs annuel. Il a fallu que j'engage la firme Raymond Chabot pour valider mes chiffres. Quand nous avons renvoyé ces chiffres au ministère, il a affirmé que Bleu Lavande, en regard de cette affluence exceptionnelle, était la plus grosse entreprise

agrotouristique au Québec. Ce qui est un tour de force en soi, c'est que cette affluence est composée à 90 % de visiteurs québécois. Ce ne sont pas des Français ou des Américains qui forment le gros de ma clientèle, mais des gens d'ici.

C'est ironique, quand on y pense. C'est souvent ce que je dis aux gens à qui je fais visiter le domaine. Dire que j'ai choisi de faire ça pour me relaxer ! Aujourd'hui, je me retrouve à la tête de la plus grosse entreprise agrotouristique du Québec !

Au moment de revoir notre concept commercial, en 2006, nous avons aussi commencé à diffuser les produits de Bleu Lavande à l'extérieur de la boutique. L'enthousiasme et la demande pour nos produits nous ont menés jusqu'aux grands centres commerciaux. Jamais je n'aurais imaginé que nous aurions, comme aujourd'hui, 12 boutiques et 150 détaillants dans notre réseau. Notre plus grand défi était de conserver notre mission, notre image et notre concept uniques. Pourquoi faire comme les autres, puisque nous sommes si différents ? Nous voulions emmener un brin de campagne à la ville en faisant vivre une belle expérience aux clients qui entrent dans nos boutiques. Nous avons réussi à relever ce défi et nous en sommes très fiers.

Pendant ce temps, nos ateliers étaient toujours établis à Fitch Bay, mais nous commencions à manquer d'espace, même en dépit de notre nouvel entrepôt à Magog. C'est donc en 2010 que nous avons décidé de séparer physiquement les activités commerciales et agrotouristiques de Bleu Lavande afin de conserver le cachet campagnard du domaine de Fitch Bay. Nous avons aussi déménagé de la maison jaune de Fitch Bay, car il devenait pratiquement impossible d'avoir notre intimité. Maintenant, la maison est occupée par un bistro, le sous-sol par un traiteur, qui prépare notamment des repas pour les groupes organisés, et deux chambres sont réservées pour les massages si la température n'est pas assez clémente pour qu'ils prennent place dans nos champs.

Les mardis Bleu Classique

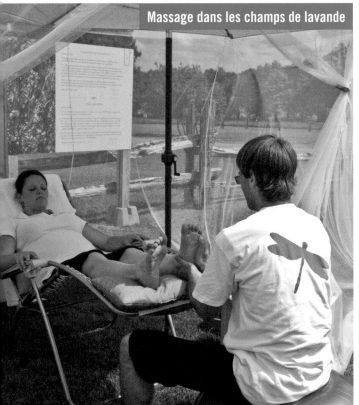

Massage dans les champs de lavande

Les mercredis Vivre en bleu offrent des ateliers culinaires.

Dès la troisième saison de Bleu Lavande en 2007, il était urgent que Christine et moi déménagions du site agrotouristique de Fitch Bay. Christine a frappé un mur cet été-là et a connu une période d'épuisement complet. Je connaissais les symptômes du syndrome d'épuisement professionnel pour avoir déjà vécu cette situation, et nous avons pris la décision de faire construire une maison au bord du lac Memphrémagog afin de jouir de la plus complète intimité. Il était impensable de prendre du repos dans un domaine qui recevait quelque 4000 visiteurs par jour !

Je me souviens d'un long fou rire que nous avons connu, Christine et moi, durant une nuit de l'hiver 2008. Nous étions au lit, en train de placoter, et nous nous sommes imaginé la réaction d'un acheteur si nous lui vendions le domaine Bleu Lavande sans l'avertir que c'était une lavanderaie et, de surcroît, le site agrotouristique le plus visité au Québec. Un beau matin, ce pauvre acheteur serait assailli par des milliers de visiteurs. Il nous accuserait de vice caché ! Nous riions comme des fous et étions incapables de nous rendormir. Il y a donc une limite aux vertus relaxantes de la lavande. Comme le soulignait Rabelais par la bouche de son Gargantua, « le rire est le propre de l'homme. »

Depuis, plusieurs concepts sont venus enrichir l'expérience du domaine Bleu Lavande. Nous avons les lundis Bleu Pastel, où des peintres et des sculpteurs viennent pratiquer leur art dans nos champs de lavande. Nous avons les mardis Bleu Classique, où les musiciens du Centre d'arts Orford viennent jouer sous un pavillon d'été. À cela viennent s'ajouter les mercredis Vivre en Bleu, qui sont des ateliers culinaires, et les jeudis Pouce Bleu, des initiations à la culture de la lavande en pot. Le point culminant de la saison est notre Féerie de la lavande, une semaine de festivités et d'expériences sensorielles de tout acabit. C'est là que nous partageons avec des milliers de visiteurs tous les mystères de cette fleur bleue au parfum si particulier, dont ceux de sa récolte et de sa distillation.

Malgré toutes ces belles expériences, ma maladie ne m'a jamais quitté. Je fais encore des crises de tremblement. Je dois me forcer à prendre des vacances. Ce que j'ai appris, à travers tout cela, c'est l'importance de déléguer ses fonctions. Dans mes anciennes entreprises, je ne faisais confiance à personne. Je faisais tout moi-même. J'ai appris à déléguer des responsabilités et à investir dans ce qu'on appelle le capital humain. Je fais confiance aux gens qui travaillent pour moi.

Au-delà de la confiance que je leur porte, je dois reconnaître que sans eux Bleu Lavande ne serait pas ce qu'elle est aujourd'hui. Nos employés ont développé cette passion qui nous anime et qui nous permet de faire vivre continuellement le rêve de Bleu Lavande. Cette entreprise a pu croître grâce à l'investissement de tous nos proches. Je me souviens encore de l'ouverture, en 2004, et de nos deux mères, Pierrette et Lucette, de même que de Réjean, le père de Christine, qui s'affairaient à la boutique comme si leur vie en dépendait. C'était beau de les voir aller. Réunis pour le mariage, ils ne se sont pas fait prier pour venir nous prêter main-forte à un moment où nous en avions grand besoin. Je tiens ici à saluer leur dévouement.

Cet investissement spontané de nos parents annonçait, sans le vouloir, le visage familial qu'allait prendre notre entreprise. Jacob était là dès le début. À 13 ans, il nous assurait qu'il ne planterait pas de la lavande toute sa vie. À 16 ans, il ne voulait que conduire le tracteur et il refusait d'être guide. À 18 ans, il est devenu guide. Et en 2011, à l'âge de 21 ans, il est adjoint au directeur agrotouristique. Jacob, consciencieux dans tout ce qu'il fait, est celui qui remarque tous les détails.

Le jeune Jacob devenu guide.

Ma fille Valérie et mon fils Mathieu se sont eux aussi joints à l'entreprise. Déjà en 2004, Valérie était en poste à la boutique, dans l'achalandage infernal de l'ouverture ; déjà on voyait en elle son style combatif et fonceur. Elle est aujourd'hui adjointe aux ventes en pharmacie, tout en continuant d'exercer sa profession d'infirmière à temps partiel. Quant à Mathieu, dont la formation est dans le domaine du multimédia, il est l'artiste de la famille et met ses talents au service de Bleu Lavande. Il a toujours la tête en ébullition, et c'est un créateur d'images dans l'âme. Je suis fier de pouvoir compter sur mes enfants Jacob, Valérie et Mathieu dans cette folle aventure.

Chapitre 6

Le rayonnement de Bleu Lavande

« *Cachent-ils des éclairs dans cette lavande où*
Des insectes défont leurs amours violentes
Je suis pris au filet des étoiles filantes
Comme un marin qui meurt en mer
en plein mois d'août »

— Louis Aragon

Au-delà des nombreux prix agrotouristiques qui nous ont été décernés au fil des ans, ce dont je suis particulièrement fier, c'est le rayonnement de Bleu Lavande dans ma région. Car avant le succès de Bleu Lavande, il y avait très peu d'activité touristique autour de Fitch Bay et de Stanstead. C'est en constatant cela que j'ai pris la présidence du Comité touristique de Stanstead en 2006 et mis sur pied une équipe de personnes décidées à s'impliquer avec moi. Il s'agissait simplement de former un réseau, afin que le succès incroyable de Bleu Lavande puisse profiter à toute la région. Je sais que certains entrepreneurs se seraient contentés du succès que je remportais déjà, mais mon attachement indéfectible à cette région qui m'a vu naître justifiait que je m'investisse dans sa revalorisation.

C'est à partir de cette initiative qu'est né le circuit touristique Découvertes sans frontières. Croyez-le ou non, j'ai eu toutes les misères du monde à réunir une vingtaine d'entreprises pour la première année de ce circuit : sites agrotouristiques, restaurants, auberges, gîtes… On a réussi à en réunir 19, tout au plus. Le tourisme était si inhabituel dans cette région que nous manquions de commerçants. C'était

en 2006. Quatre ans plus tard, nous étions 65 entreprises à faire partie de Découvertes sans frontières. Ce n'est pas rien! En 2007, la firme Raymond Chabot a évalué que les retombées économiques de Bleu Lavande avec tous les partenaires du circuit Découvertes sans frontières sur sa région se chiffraient à 7 millions de dollars. Pour une région qui devait historiquement sa seule vitalité économique au granit, c'était tout un pas en avant!

Ainsi, j'ai pris conscience que le succès d'une seule entreprise audacieuse ne suffit pas à redonner du souffle à une région. C'est grâce au soutien des gens qui nous entourent, à l'effort collectif, que nous sommes arrivés à faire rayonner ce succès de façon à ce que tout le monde puisse en profiter. Et nous sommes fiers d'avoir produit, avec Bleu Lavande, l'étincelle nécessaire à la revitalisation de cette partie oubliée des Cantons-de-l'Est.

Dès 2004, nous avions mis en place un système d'envois postaux pour vendre nos produits à distance. Nous avions alors recours au bureau de poste de Beebe, près de Fitch Bay. Nous étions si fiers de nous présenter là avec nos petits colis! Éventuellement, les commandes sont devenues plus importantes, mais nous sommes restés fidèles à ce bureau de poste chaleureux. Si bien qu'au printemps 2007, alors qu'il était menacé de fermeture, ce sont les commandes de Bleu Lavande qui ont justifié son maintien.

Quand je songe au chemin parcouru, un moment me revient toujours en tête. C'était au printemps 1999, alors qu'il n'y avait encore rien sur ma terre. J'allais bientôt faire construire ma maison. J'étais accoté à une vieille clôture de bois et je contemplais le domaine. C'est là que mon voisin, Allan Batchelder, vint à ma rencontre. C'était un beau monsieur souriant, avec une chevelure blanche comme la

neige. Il ne parlait pas un mot de français, mais sa famille était établie à Applegrove depuis des générations. Il se présenta et se mit à me raconter l'histoire d'Applegrove, ce hameau où je venais d'élire domicile.

Le récit de ses souvenirs faisait revivre Applegrove. Grâce à ses connaissances approfondies, il pouvait faire apparaître des maisons, en faire disparaître d'autres. Il me parlait des granges qui s'élevaient autrefois sur tels terrains, du bureau de poste qui avait disparu, des routes avec leurs tunnels d'arbres majestueux. À quelques kilomètres, il y avait une petite école de rang. Cette région était en fait composée de plusieurs petits hameaux regroupés autour du village de Fitch Bay.

Quand je lui ai demandé ce qu'il était advenu de tout cela, il me répondit que l'exode rural avait eu raison d'Applegrove. Les jeunes avaient déserté la campagne pour la ville. Et il continua à me narrer ainsi l'histoire de cette terre, remontant jusqu'aux temps où le pont couvert n'était même pas construit et où il fallait traverser le lac avec un système rudimentaire de câbles. Imaginez! De nos jours, le pont couvert Narrow n'est plus qu'un attrait touristique. Cela fait des années qu'il est fermé à la circulation.

Cette rencontre avec Allan Batchelder a allumé en moi le désir de connaître l'histoire de ma région. Je me suis alors procuré le livre *Histoire des Cantons-de-l'Est*[1], qui a été écrit par des chercheurs de l'Université de Sherbrooke. J'ai plongé dans cette histoire et, aujourd'hui, je la connais sur le bout de mes doigts.

Déjà, en signant les papiers notariés, j'avais pu prendre connaissance des anciens propriétaires de ma terre. Elle avait appartenu d'abord aux familles Bodwell et Boyton. Deux grandes familles qui possédaient leur propre cimetière et qui ont donné leur nom à un chemin ainsi qu'à un ancien hameau

---

1   Jean-Pierre Kesteman, Peter Southam, Diane Saint-Pierre, *Histoire des Cantons-de-l'Est*, Les Presses de l'Université Laval, coll. Les régions du Québec, 1999.

tout près de chez moi.. Ensuite, ma terre a appartenu à la famille Kimpton qui possédait entre 500 et 600 acres dans les alentours. Lorsque le grand-père Kimpton est décédé, un de ses fils a gardé la terre. Il y est demeuré, mais vendait de temps à autre des parcelles de terre pour subvenir à ses besoins. Une de ces parcelles a été vendue à la compagnie Rustic Fences, qui construisait des clôtures de bois. Cette parcelle, c'est le domaine Bleu Lavande.

Dans cette même période, j'ai eu l'occasion de rencontrer mon voisin Harry Isbrucker, responsable du Musée Colby-Curtis à Stanstead. Grâce à lui, j'ai appris que le cœur de ma terre avait subi une coupe à blanc. Au début des années 80, Rustic Fences avait sorti pour 150 000 $ de bois de cette terre. J'ai aussi appris par les actes notariés que le gouvernement lui avait imposé une amende… tout à fait ridicule en regard de la valeur du bois qu'elle avait pu tirer de là. Mais c'est aussi en prenant connaissance de cette anecdote que j'ai compris d'où venaient les érables centenaires que j'avais découverts lors de ma première visite de la terre. C'était la limite de la coupe à blanc. Les fiers centenaires qui se tenaient encore debout auraient pu connaître le même sort si l'on n'avait pas arrêté la compagnie à temps !

C'est ainsi que, peu à peu, je me suis profondément attaché à ma terre. C'est comme si, en créant Bleu Lavande, j'avais apporté un nouvel éclairage sur ce hameau oublié, Applegrove, petite colline battue par les vents, et dont Allan et Harry m'avaient transmis le goût de la faire connaître et de la faire revivre. Aujourd'hui, ces champs sont recouverts de plus de 300 000 plants de lavande. C'est la première et actuellement la seule lavanderaie d'origine contrôlée au Canada et la deuxième en importance en Amérique du Nord.

Chapitre 7

Mon ami Harry

« *Et ils couchaient au petit bonheur de la route,*
au fond d'un trou de rocher, sur l'aire pavée,
encore brûlante, où la paille du blé battu
leur faisait une couche molle, dans quelque
cabanon désert, dont ils couvraient
le carreau d'un lit de thym et de lavande. »

- Émile Zola

C'était au printemps 2000, avant que je parte en voyage pour aller à une rencontre organisée par la compagnie américaine qui avait acheté les droits de commercialisation de mon invention, avant que je ne découvre la supercherie. Je m'étais départi de mes entreprises d'électronique, mais j'avais conservé mon bureau d'ingénierie à Brossard. J'étais assis devant mon ordinateur, à la maison jaune de Fitch Bay. Pourtant, rien ne me retenait là, puisque le bureau roulait sans moi. Mais j'étais incapable de décrocher.

Le téléphone sonna. C'était mon voisin Harry. Il me demanda ce que j'étais en train de faire.

— Je suis devant mon ordinateur, Harry, et je me sens coupable de ne pas être en train de travailler.

— Viens me rejoindre, dit-il, on va aller prendre une marche.

Harry était mon deuxième voisin. Nous nous sommes donc rejoints à mi-chemin, sur la terre d'Allan. Et nous avons parcouru ma terre. Une longue marche qui nous a finalement menés jusque chez lui. Il m'invita alors à prendre une bière. Nous sommes entrés dans sa maison, où j'ai continué à lui parler de mes problèmes et de ce que je ressentais. Il me proposa d'aller nous installer dehors et je le suivis.

Là, au beau milieu de nulle part, il avait installé deux chaises Adirondack. Et il continuait de me faire parler. Il sentait que je n'étais pas bien dans ma peau et il essayait de faire sortir le méchant. À un certain moment, il eut cette réflexion, et je m'en souviens comme si c'était hier :

— N'est-ce pas merveilleux ? Réalises-tu, Pierre, combien nous sommes chanceux ? Nous sommes là, toi et moi, au beau milieu d'un champ, en plein après-midi, en train de prendre une bonne bière. Et pendant ce temps, au 40e étage d'un immeuble du centre-ville de Montréal, il y a des gens pris entre quatre murs qui sont en train de travailler et de s'arracher les cheveux de sur la tête ! Pierre ! Prends le temps de respirer.

À ce moment, je n'avais pas encore réussi à décrocher complètement de mon ancienne vie, à couper le cordon de l'entreprise que j'avais mis tant d'années à bâtir et qui me filait tranquillement entre les doigts. Harry m'a beaucoup aidé dans cette période difficile. J'étais en épuisement professionnel, complètement à plat. Et quand on n'est pas bien dans sa peau, on ne s'accepte pas. On refuse d'en parler, on n'ose pas le dire. On pense que ça n'arrive qu'aux autres. Harry, sans jamais me bousculer, m'a aidé à faire cette prise de conscience moi-même, grâce à ses paroles et à son écoute.

Tous les deux ou trois jours, nous allions prendre notre marche. Harry connaissait bien la nature, il se passionnait pour les différentes essences d'arbres.

Ensemble, nous avons défait des barrages de castors. Je parlais à Harry de ce que je voulais faire avec ma terre. C'est durant ce printemps que j'ai véritablement connecté avec la nature qui m'entourait et que j'ai repris goût à mon projet.

Car j'ai bien failli tout abandonner. Je souffrais d'épuisement professionnel. Je devais composer avec une maladie qui me guettait au détour.

Mais cet été-là, j'ai engagé deux bûcherons pour faire des chemins de bois. Nous avons fait une dizaine de kilomètres. Je me suis amusé à couper des arbres et à les sortir du bois avec mon tracteur. Et laissez-moi vous dire une chose : quand on est habitué à passer nos journées devant un ordinateur à pousser une souris et que tout d'un coup on se retrouve au petit matin en pleine nature à ramasser du bois à quatre pattes, on sent toute une différence. Le soir venu, on prend un verre de vin et on roule dans les bras de Morphée. Je me couchais vers 8 heures du soir et dormais jusqu'au lendemain matin.

Je m'étais aussi acheté un chien avec lequel j'ai passé d'innombrables heures à parcourir mon bois et à tracer mes chemins. Je connaissais mon bois par cœur. Je m'étais enfin débarrassé de la tyrannie de l'horloge. Je n'avais pas d'objectifs précis en tête lorsque mes journées commençaient.

J'avais repris goût, donc, à mon projet de lavande. Durant l'été 2000, j'ai planté une douzaine de variétés sur mon terrain et j'ai fait une petite récolte que j'allais distiller chez des tiers, puisque je n'avais pas encore mon distillateur. Tout cela n'était encore rien de très concret, mais ça me relaxait. Et au début de l'année suivante, j'ai senti que j'avais repris goût à la vie. Je me sentais plus serein, j'avais des objectifs. J'avais le goût de voir du monde.

En même temps, cette nouvelle vie qui commençait était obscurcie par tous les problèmes que je vivais avec mon ancienne entreprise. Mais un jour de mars 2001, après de longs mois de négociations où un règlement à l'amiable avait été convenu, je me suis rendu à mon bureau de Brossard pour mettre la clé dans la porte. Je me rappellerai toujours cette image du bureau vide où les tas de déchets électroniques avaient été laissés en plan. Un vrai champ de ruines. Et quand j'ai quitté les lieux, j'ai senti que je fermais enfin la porte sur tout un pan de ma vie. J'étais libéré. Enfin, je pouvais vivre. Je suis parti, libre de toute contrainte. Les semaines suivantes, je flottais comme sur un nuage. Pour la première fois depuis longtemps, je ne sentais pas l'épée de Damoclès qui pendait au-dessus de ma tête.

Harry s'en est rendu compte. Il m'a dit que j'étais comme un nouvel homme. Il avait bien raison. On aurait dit que je venais de perdre 100 livres. Et j'étais prêt à me lancer dans ce projet fou de cultiver de la lavande. J'ai labouré mes champs. J'ai construit mon distillateur et ma chambre de distillation. J'étais prêt à faire le grand saut.

Très vite, je me suis aussi aperçu que toute l'expertise que j'avais accumulée dans l'électronique en tant que « *one stop solution guy* » profitait à mon nouveau projet. Je pense notamment à la machine que nous utilisons pour planter les boutures. C'était, à l'origine, une machine utilisée pour planter le brocoli. Je lui ai fait subir une légère transformation et elle s'est révélée parfaitement adaptée à la lavande. Et je ne peux m'empêcher de penser à la formidable coïncidence entre mon ancienne et ma nouvelle vie telle qu'elle s'incarne dans cette publicité qui n'a jamais vu le jour, mais qui fait maintenant figure de présage : *Smarter is Blue*.

Chapitre 8

Ézékiel

« [...] car, cette fois, nous allons pour le moins faire le tour du monde ; avoir affaire aux géants, aux dragons, aux monstres, aux fantômes de toutes couleurs ; vivre au milieu des sifflements, des rugissements, des beuglements, des cris de rage et des défis les plus épouvantables ; et encore tout cela, ma chère, ne sera que lavande, en comparaison des enchanteurs maures que peut-être nous ne rencontrerons que trop souvent. »

— Miguel de Cervantès

Au printemps 2004, alors que le projet Bleu Lavande allait bon train, j'ai fait une rencontre déterminante dans ma vie. Je travaillais alors de concert avec la Compagnie des travailleurs agricoles (CTA), qui offrait un service de transport pour des travailleurs de la région de Sherbrooke afin de venir travailler chez des agriculteurs. Je pouvais donc les joindre et leur dire le nombre de travailleurs dont j'avais besoin, et pour combien de jours, et ils s'occupaient de faire la navette entre Sherbrooke et Fitch Bay.

Un jour, le directeur de la CTA m'a appelé et m'a demandé si je m'opposais à ce qu'il m'emmène des travailleurs immigrants. Bien sûr que non ! Je l'ai rassuré tout de suite. Noirs, blancs, jaunes… qu'importe ! J'ai voyagé à travers le monde et travaillé avec des gens d'origines diverses, et je l'ai assuré que j'étais très ouvert à ça. C'est ainsi qu'un bon matin du mois de mai, alors que nous étions en train de mettre nos plants en terre, je vis débarquer Ézékiel Sékuyé, un homme originaire du Burundi. Il était en compagnie d'autres travailleurs que la CTA m'avait amenés ce jour-là, mais j'ai tout de suite « cliqué » avec lui.

— Bonjour, monsieur Pierre.

C'est ainsi qu'il allait toujours m'appeler.

Durant la journée, je les regardais travailler de mon bureau et je constatais à quel point Ézékiel était dévoué. Le lendemain, je le fis venir dans mon bureau et lui proposai un emploi permanent. Il était fou de joie. Je ne connaissais rien de ce monsieur, qui semblait avoir à peu près le même âge que moi, mais j'avais confiance en lui.

Ézékiel ne parlait pas beaucoup, mais, à la longue, il a fini par me raconter son histoire. Il venait du Burundi et, avant d'immigrer au Canada, il avait vécu dans un camp de réfugiés, en Tanzanie. À la suite du génocide au Rwanda, qui avait déchiré cette région de l'Afrique au printemps 1994, Ézékiel avait dû fuir son pays. Il exerçait là-bas la profession d'enseignant. Un soir, il est rentré chez lui pour trouver sa femme et ses enfants massacrés, décapités. On le cherchait aussi pour le tuer. Il a alors marché des milliers de kilomètres pour rejoindre un camp de réfugiés à la frontière de la Tanzanie.

J'avais entendu parler des guerres qui avaient déchiré le Rwanda et le Burundi à cette époque, mais on dirait que la distance rendait tout cela irréel. En parlant avec Ézékiel, c'est venu me chercher au plus profond de moi. Cet homme avait perdu tout ce qui lui était cher au monde et il avait vécu près de dix ans dans un camp de réfugiés, où il n'avait pour toute maison qu'une toile bleue et quelques outils. Il avait continué d'exercer sa profession dans le camp, avait aidé à bâtir une école. Un jour, je lui ai demandé comment il avait abouti au Québec. Il m'a simplement expliqué qu'il avait fait la demande à tous les pays francophones et que la première réponse favorable qu'il avait reçue était celle du Canada. C'est comme cela qu'il s'est retrouvé à Sherbrooke à l'automne 2003, et chez moi au printemps 2004.

Cette rencontre avec Ézékiel fut l'une des plus déterminantes de ma vie. Je tiens à évoquer ici quelques anecdotes qui vous permettront de mieux cerner le personnage.

Un jour qu'il travaillait aux champs, je suis venu le voir pour lui demander s'il savait conduire un tracteur. Tout d'un coup, il prit un air quasi effrayé. Je lui proposai de le lui apprendre, et il accepta. Il monta sur le petit Kubota et fit quelques mètres. Pendant tout le processus, il affichait une mine sévère, celle de quelqu'un qui prend très au sérieux une tâche jusqu'alors inconnue. Dès qu'il retrouva le plancher des vaches, il se mit à sauter dans les airs.

— Je sais conduire un tracteur! Je sais conduire un tracteur!

Il était animé de la même joie que celle d'un enfant à qui l'on venait d'apprendre à faire du vélo. J'étais ému aux larmes par cette joie qui éclatait au grand jour. Et on ne s'est pas arrêtés en si bon chemin. À ma grande stupéfaction, je me suis rendu compte qu'Ézékiel n'avait jamais appris à conduire une voiture. Cette distance incalculable entre notre vie ici et celle des gens là-bas m'a sauté en plein visage. Je l'ai aidé du mieux que j'ai pu dans son adaptation aux mœurs d'ici.

Cet été-là, Ézékiel me remercia tous les jours. Il se présentait au travail avec un sourire large comme la baie de Fitch. Il n'a jamais perdu ce sourire.

Il a travaillé pour nous jusqu'en 2008. Il possédait un grand charisme et passionnait les femmes. Il vivait à Sherbrooke dans un petit 1½ au sous-sol d'un immeuble. Je lui ai proposé de l'aider à trouver un autre logement dans le même immeuble, un étage plus haut, afin qu'il puisse bénéficier de plus de lumière et d'un balcon. Mais la grande frayeur qui l'habitait depuis le massacre de sa famille

ne l'avait jamais quitté. Il cherchait toujours à se mettre à l'abri, consciemment ou non.

Les gens qui ont visité le domaine Bleu Lavande, du temps où Ézékiel travaillait pour nous, se souviennent probablement de ce bel homme souriant qui était toujours prêt à rendre service. Lorsque venait le temps de tailler les plants qui patientaient dans nos serres, Ézékiel était le plus doué pour cette tâche délicate. Armé de ses ciseaux, il était le barbier de Bleu Lavande.

Quand il a décidé de partir, il n'a pas pu se résoudre à m'annoncer directement son intention. Il avait peur de me blesser. En effet, nous étions devenus des confidents l'un pour l'autre, et il n'osait pas me faire part de son rêve. C'est à Christine qu'il s'est ouvert, en lui demandant de sonder le terrain de mon côté. Quand elle m'a annoncé qu'Ézékiel avait le rêve de partir à la découverte de l'Ouest canadien, cela m'a bouleversé. J'allais perdre un ami cher. En même temps, je le comprenais. Je me souviendrai toujours de ce qu'il m'a dit, avant de partir :

— Vous vous rendez compte, monsieur Pierre? C'est la première fois que je vais faire un voyage que j'ai envie de faire.

Ainsi, à l'automne 2008, Ézékiel a plié bagage et est parti à l'aventure. Deux fois par année, il m'écrit un courriel très succinct dans lequel il me souhaite un joyeux Noël, une bonne année… Jamais un mot de trop. Quand j'essaie d'en savoir plus, il me répond simplement « ça va bien ». Trois petits mots. C'est Ézékiel. Je sais qu'il est heureux. Je lui ai écrit qu'il était libre de revenir travailler pour Bleu Lavande quand il le désirait. Je tiens à garder cette porte ouverte.

Une anecdote dont je me rappellerai toujours est celle de la télévision. On m'informa un jour qu'Ézékiel possédait deux télévisions. Une lui fournissait l'image, tandis que la deuxième lui fournissait le son. Ce détail m'a attristé. Alors que Noël approchait, j'ai décidé de me munir d'une télévision à écran plat et d'offrir la mienne à Ézékiel. C'était une belle grosse télévision, assez récente, qui marchait à merveille. J'appelai alors Ézékiel et lui demandai de mettre ses deux télévisions à la poubelle. Devant son incrédulité, je le rassurai et lui dis que j'arriverais chez lui d'ici une demi-heure.

Arrivé chez lui, je l'aidai à installer la nouvelle télévision. Il y avait des oreilles de lapin posées près de la fenêtre, qui lui permettaient de syntoniser deux ou trois postes, tout au plus. Puis, je remarquai un câble qui sortait du mur. Je ne pouvais pas en croire mes yeux. Il avait le câble fourni avec l'appartement et ne l'avait jamais utilisé. Je branchai donc le câble sur sa nouvelle télévision et lui expliquai comment s'y retrouver avec les différentes chaînes. Il était émerveillé. J'avais peine à retenir mes larmes, encore une fois. Cet hiver-là, en 2006, Ézékiel se passionna pour les Jeux olympiques de Turin. C'était la première fois de sa vie qu'il avait la chance d'assister en direct à un événement sportif de cette ampleur.

Ézékiel m'a permis de vivre des moments très riches en émotions et m'a aussi permis de recentrer mes valeurs sur des choses plus terre-à-terre. Il a été d'une importance capitale dans l'histoire de Bleu Lavande, et c'est pourquoi je me permets de vous raconter sa trajectoire extraordinaire. Depuis son départ, il n'est pas rare que des habitués nous demandent où est Ézékiel. Il parlait de la lavande avec une telle passion. Je crois qu'il avait fait autant de recherches que moi sur le sujet. Quand il se mettait à parler, les gens l'entouraient. Sa parole était d'or. Il a été interviewé par *La Presse* et aussi par les gens de Radio-Canada International. Il était si fier de savoir que ses paroles pourraient se rendre jusqu'à son village natal.

C'est ce que j'ai aimé, dans l'aventure de Bleu Lavande. Cette authenticité sans faux-semblants. Cette chaleur humaine. Le respect d'autrui. La passion qui nous animait et qui nous anime encore. C'est la racine de Bleu Lavande. Ézékiel n'est plus là aujourd'hui, mais il est toujours avec nous. Je n'ai jamais su à quel moment il était réellement parti. Un jour, j'ai appelé chez lui, et le numéro n'existait plus. C'est mystérieux, mais c'est comme ça. C'est Ézékiel.

Conclusion

« *Et vous, mon père, qui vous tenez ce soir sur cette triste colline*
Maudissez, bénissez-moi de vos larmes brûlantes, je vous en prie
N'entrez pas si vite dans cette bonne nuit
Ragez, ragez contre la lumière qui décline »

— Dylan Thomas

Durant l'hiver 2003, alors que nous ne savions rien du désastre qui allait ravager notre première plantation de lavande, nous sommes partis en voyage à Cuba, avec Christine et les enfants. À peine arrivé là-bas, j'ai reçu une mauvaise nouvelle. Mon père venait d'entrer d'urgence à l'hôpital et reposait entre la vie et la mort. Et j'étais là, à des milliers de kilomètres, impuissant. Dès le lendemain, ma mère m'a annoncé son décès. Que devais-je faire, que devais-je ressentir ? Pouvais-je profiter de ces vacances avec mon amoureuse et mes enfants, quand celui à qui je devais la vie venait de rendre l'âme en mon absence ?

Il faut dire que, durant cette période difficile où je m'étais retrouvé seul sur ma terre à Applegrove, je m'étais beaucoup rapproché de mon père. Il était alors très malade. Durant ses moments de lucidité, nous dialoguions beaucoup. Peu à peu, je lui reconnaissais des valeurs qui étaient les miennes. C'est pourquoi j'ai eu de la difficulté à accepter sa mort. Je ne supportais pas qu'il nous quitte au moment où je me reconnaissais finalement en lui.

En revenant au Québec, j'ai dû prendre en charge la succession, puisque j'étais son exécuteur testamentaire et son tuteur, mon père étant inapte depuis quelques années. En fouillant dans ses affaires, j'ai levé le voile sur tout un pan de sa vie qui m'était inconnu. J'ai découvert mon père. Je savais déjà qu'il était connu et aimé de tout le monde. Il disait toujours à la blague qu'il avait endormi toute la ville de Magog. Ayant été anesthésiste, ce n'était guère surprenant! Plus jeune, et plus fanfaron, je lui répondais que c'était la raison pour laquelle c'était si ennuyant à Magog, car tout le monde dormait!

Mais en fouillant dans ses papiers, je lui ai découvert des passions que j'ignorais. Il gardait ça pour lui. Il faisait d'innombrables recherches, que ce soit sur la famille, son travail, sa ville, et prenait tout en note. Il écrivait tout. Dans ce sens-là, je lui ressemblais beaucoup. C'est ce passionné que j'ai découvert en faisant le ménage de ses dossiers personnels. Jusque-là, je m'étais abstenu de fouiller dans ses affaires, car je considérais que c'était son intimité. Je me contentais, en tant que tuteur, de payer ses factures et autres banalités. Jamais je ne me serais douté qu'il était passionné à ce point.

Du temps de mon ancienne vie, je me souviens que j'organisais souvent les fêtes d'employés au chalet d'été de mon père. Et il était là, entretenant tout le monde de mille sujets divers, passant de l'archéologie à l'astronomie. Le lundi suivant, mes employés me disaient à quel point mon père tenait des conversations passionnantes. Mais je ne portais guère attention à cela. C'était seulement mon père. Je ne prenais pas le temps de l'apprécier. J'ignorais quelles richesses étaient enfouies en cet homme, dont le travail avait causé une absence si durable dans mon enfance que j'étais désormais aveugle à ce qu'il recelait.

Mon père et ma mère avaient divorcé dans les années 70. À ce moment, ma mère représentait pour notre famille le positif et mon père le négatif. Après le décès de mon père, je me suis rendu compte qu'il y avait autant de positif dans les valeurs qu'il me laissait que dans tout ce que ma mère m'avait transmis. Malgré le fait que je n'avais pas été bon élève, ce qui avait été son souhait le plus cher, il m'avait néanmoins transmis son caractère fonceur, tenace, passionné : j'étais, comme lui, un travailleur infatigable. Je n'aurai jamais la chance de lui montrer ce que j'ai accompli, mais je sais qu'il m'a transmis la force nécessaire pour transformer mes rêves en réalité.

PRIX ET DISTINCTIONS

2005

- Prix attrait récréatif, touristique de la Chambre de commerce et d'industrie Magog-Orford

- Prix PME Innovation au Gala Reconnaissance Estrie

- Prix spécial du jury aux Grands Prix du tourisme québécois

2006

- Prix Coup de cœur innovation aux Grands Prix du tourisme du Québec

2007

- Mérite estrien

- Meilleur site Internet aux Prix Coup d'Éclat, Société des attractions touristiques du Québec

- L'une des cinq meilleures expériences agrotouristiques au Canada selon le *Ottawa Citizen*

2008

- Grands Prix du tourisme québécois (deux fois lauréat)

- Lauréat régional dans la catégorie agrotourisme et produits régionaux

- Lauréat national OR dans la catégorie agrotourisme et produits régionaux

2009

- Personnalité agrimarketing de l'Association canadienne d'agrimarketing (ACAM)

- Grands Prix du tourisme québécois - Lauréat régional dans la catégorie agrotourisme

- Prix Reconnaissance Estrie dans la catégorie des entreprises agricoles

- Mercure dans la catégorie Développement des marchés (PME) - Les Mercuriades

- Mercure Entreprise de l'année (PME) - Les Mercuriades

2010

- Prix Hommage de la Société des attractions touristiques du Québec (SATQ)